明十三陵

The Ming Tombs
Les Treize Tombeaux des Ming
Die dreizehn Ming-Gräber
Le Tredici Tombe dei Ming
Las Trece Tumbas Ming

명대 13릉
明の十三陵

中国民族摄影艺术出版社

图书在版编目（CIP）数据

明十三陵 / 杨茵，旅舜编．－北京：中国民族摄影艺术出版社，2002.5
ISBN 7-80069-437-2/J.303

Ⅰ．明…　　Ⅱ．①杨…　②旅…　　Ⅲ．十三陵－画册
Ⅳ．K928.76-64
中国版本图书馆 CIP 数据核字（2002）第 025455 号

策　　划：旅　舜
主　　编：杨　茵
责任编辑：虞　晖
执行编辑：王　鹏
撰　　稿：武冀平
摄　　影：朱　力　　张肇基　　魏玉清
　　　　　姜景余　　王文波　　杨　茵
　　　　　李　江　　武冀平　　刘思敏
　　　　　王　鹏　　赵　影　　周　游
题　　字：朱鸿祥
封面设计：夏超一
电脑制作：刘　彬

中国民族摄影艺术出版社　出版
开本：787 × 1092 mm　1/12
印张：8　　　印数：1-5000
2002 年 6 月第一版第一次印刷
书号：ISBN 7-80069-437-2/J.303
　　　0006000

目 录
Table of Contents

前　言

十三陵位于北京昌平区，是明朝（1368年—1644年）十三位皇帝的陵墓群。此外，还葬有二十三个皇后，一个贵妃。这座巨大的陵园，东、西、北三面环山，中间是自然形成的盆地，清清的温榆河，自西北蜿蜒行绕；南有龙山、虎山相对。

中国古人认为，人死之后，肉体已殁，灵魂却依然存在。自周代起便出现了"封土为坟"的做法。从此之后，历朝各代的帝王为了在"幽冥世界"也受到在现实生活中至高无上的荣誉，开始在规模上逐渐扩大。中国不同时期的帝王陵寝，形式也不尽相同，其中，明代帝陵的建筑工艺和规模达到了历史上的空前水平。

明太祖朱元璋开国后，称帝南京，他的陵墓也建在了南京。成祖朱棣夺取皇位后，于公元1421年迁都北京。从1409年起，在今昌平建陵，至1644年明朝灭亡，十三陵的营建工程前后历经了二百余年。

在长达7公里的"神道"南端，建有高大华丽的石牌坊，形制为五门六柱十一楼，通阔约29米，用汉白玉雕成，是全园现存最大的石坊建筑。穿过陵门，是陵园的正门（大宫门）。大宫门后，是通往陵墓的陵道，称做神路，又叫神道，全长800米。神路两侧排列着18对石人、石兽。雕工遒劲、逼真。后面是龙凤门，设计精巧。天寿山麓，翠柏成荫，朱墙金瓦的殿宇和高入云霄的明楼，十分宏丽。远近十三座陵墓，各个都建在一座小山下面。檐牙高啄，宝城连云，俱是别开天地的幽宫。

长陵，埋葬着明成祖朱棣及其皇后徐氏。在十三陵中规模最大。其祾恩殿保存完整。大殿内排列有32根楠木大柱，中间4根最大，直径达1.124米。大殿结构异常紧密，至今五百余年依然完整如初。其它各陵，大同小异，形制基本相同。十三陵的营造，历经二百余年，所需石材、木材、城砖等数量惊人，工程浩大。它是古代建筑艺术的宝库，是劳动人民智慧的结晶。

当年封建皇帝的禁园，而今成了游览胜地。游人还可以到十三陵水库、定陵博物馆等景点参观。这里不仅吸引着中外游人，也成为专家学者研究明代历史、建筑、工艺美术的重要场所。

Preface

The Ming Tombs is located in Changping District, Beijing, and thirteen emperors of the Ming Dynasty(1368 — 1644) were buried here. The entire cemetery also keeps the remains of 23 empresses and 1 imperial concubine. The tombs are scattered over a basin approximately 40 square kilometers in area, screened by mountains on three sides and open to the Beijing Plain in the south. Clear Wenyu River winds down the cemetery, while the road leading to the tombs is guarded by Tiger Hill and Dragon Hill.

It was during the Zhou Dynasty(1066 B.C.— 221B.C.) that appeared "high-earth-mound grave" in China. From then on, the burial grounds of emperors' in China were the grandest in design, and the emperors began to enlarge scale of their mausoleums in order to keep their supreme power and luxury lives in "the nether world". The technology of architecture came to its zenith during the Ming dynasty, and the imperial burial grounds at that time became the most extravagant in Chinese history.

Zhu Yuanzhang, the first Ming Emperor, made Nanjing his capital, and had his tombs built in Nanjing too. When the Emperor Zhu Di usurped the throne, he moved the capital to Beijing in 1421. The construction of the Ming Tombs, from 1409 to the doom of the Dynasty, had lasted for over 200 years.

A main Sacred Way leads to the Tombs area. At the south beginning of the Way, there is a tall and magnificent Memorial Arch, made of white marble. It is the biggest one existing in China, with the width of about 29 meters. Behind the Great Palace Gate is a 800-meter road, known as shenlu. On both sides of the road, there are 18 pairs of lifelike stone statues. Behind it is an exquisite-designed Lingxing Gate. Each tomb situates at the foot of a hill. Surrounded by evergreen pines and cypresses, the whole tomb area is a unity of classic elegance of integrated natural scenery and splendor of imperial buildings.

Layouts of the tombs are similar. The Changling Tomb is the largest in scale, and its Ling'en Hall is the best preserved one in all thirteen tombs'. 32 gigantic columns sustain the roof, with the thickest four, meters in deametes, in the center. The Hall is still intact over 500 years. The construction of the tombs was a gigantic projecct, great deal of bricks, stones and timbers were consumed. It is the treasure of architecture art of the ancient China and a crystallization of the wisdom of the Chinese people.

The former forbidden cemetery becomes famous relics, and it is the important place for specialists to study the history, architecture and handicraft of the Ming Dynasty. Tourists also could go to visit the Shisanling Reservoir and Dingling Museum.

Avant-propos

Les Treize Tombeaux des Ming (Shisanling), situés dans l'arrondissement de Changping à Beijing, sont la nécropole de 13 empereurs de la dynastie des Ming (1368-1644) ainsi que de 23 impératrices et d'une concubine impériale du premier rang. Ils sont entourés sur les trois côtés est, ouest et nord de montagnes et font face à la plaine où serpentent du nord-ouest au sud-est les eaux claires de la rivière Wenyu. Au sud, le mont du Dragon (Longshan) et le mont du Tigre (Hushan) gardent l'entrée de la nécropole.

Sous la dynastie des Zhou (1066—221 av. J.-C.), l'idée de clôturer les terrains réservés aux sépultures impériales apparut en Chine. Depuis lors, les empereurs des différentes dynasties qui désiraient continuer à exercer leur pouvoir suprême dans l'au-delà firent construire des sépultures impériales de dimensions de plus en plus considérables. Les sépultures impériales de la dynastie des Ming représentent le niveau le plus élevé de la construction tombale. Le fondateur de la dynastie des Ming, Zhu Yuanzhang qui régna sous le nom de Taizu, fixa sa capitale à Nanjing. Après être monté sur le trône, Zhu Di, empereur Chengzu, transféra la capitale impériale à Beijing. De 1409, date du commencement des travaux, à la chute de la dynastie des Ming en 1644, la construction des Treize Tombeaux impériaux à Changping dura plus de deux siècles.

La Voie sacrée (Shendao, allée menant à la nécropole) est précédée au sud d'un portique monumental en marbre blanc finement sculpté qui, d'une largeur de 29 m, est le plus grand des portiques en pierre subsistants en Chine. Après avoir traversé ce portique, on arrive devant la Grande Porte rouge (Dagongmen), entrée principale de la nécropole. Derrière cette porte s'étire sur 800 m la Voie sacrée proprement dite bordée de 18 paires de personnages et d'animaux de pierre. Finement travaillées, ces sculptures sont palpitantes de vie. Plus loin, se dresse la porte du Dragon et du Phénix (Longfengmen), impressionnante par sa conception ingénieuse. Autour, les monts de la Longévité céleste (Tianshoushan) sont couverts de forêts de cyprès luxuriants. Les palais aux murs pourpres et aux toitures dorées ainsi que les tours de la stèle ou les pavillons de la Clarté (Minglou) surmontant le mur d'enceinte du tumulus sont aussi splendides que magnifiques. Les treize tombeaux impériaux sont tous situés au pied d'une montagne. Les palais aux corniches relevées avec des supports en tasseaux richement décorés s'imposent par leur splendeur et leur magnificence.

Des Treize Tombeaux des Ming, le plus grand est le Changling. Sa construction principale— la salle Ling'en ou la salle des Rites sacrificiels, est encore en bon état. A l'intérieur de cette salle, 32 colonnes en bois supportent la couverture, celles disposées au centre sont les plus colossales. D'une structure ingénieuse et solide, et malgré cinq siècles d'intempéries, elle est restée intacte. La construction de ces 13 tombeaux impériaux nécessita une énorme quantité de pierre, de bois et de briques. Ils représentent un trésor de l'architecture ancienne chinoise et la cristallisation de la sagesse du peuple travailleur.

Aujourd'hui, ces sépultures impériales sont ouvertes au public. Les touristes peuvent voir le réservoir d'eau de Shisanling et visiter le Musée du Dingling et d'autres sites célèbres. Les Treize Tombeaux des Ming attirent non seulement de nombreux visiteurs mais sont également devenus un centre d'étude de l'histoire, de l'architecture et de l'artisanat de la dynastie des Ming.

Vorwort

Die 13 Gräber der Ming-Dynastie (1368 — 1644) liegen im Changping-Bezirk von Beijing. Hier wurden neben den 13 der 16 Ming-Kaier auch 23 Kaiserinnen und eine kaiserliche Konkubine hohen Ranges bestattet. Die Berge im Osten, Westen und Norden bilden einen natürlichen Schirm für die Grabgruppe und das Becken, in dem sich die 13 Gräber befinden. Der Wenyu-Bach wendet sich durch die Grabstätte. Im Süden befinden sich der Drachen- und Tigerberg.

Bereits in der Zhou-Dynastie (etwa 1066 — 211 v. Chr.) wurde dieser Grabbaustil gepflegt. Da die Kaiser im Jenseits wie zu ihren Lebzeiten über alles herrschen und ein Luxusleben führen wollten, ließen sie immer ein größeres Grab für sich selbst bauen. Die Grabarchitektur erreichte in der Ming-Zeit ihr höchstes Niveau.

Der erste Kaiser der Ming-Dynastie Zhu Yuanzhang machte Nanjing zur Hauptstadt und ließ sein Grab bei Nanjing bauen. Der dritte Kaiser der Ming-Dynastie Zhu Di verlegte die Hauptstadt 1421 von Nanjing nach Beijing. Seit 1409 mit der Fertigstellung des Changling-Grabes bis 1644 dauerte die Bauarbeit für 13 Gräber mehr als 200 Jahre.

Am südlichen Anfang des Heiligen Weges zu den Ming-Gräbern befindet sich das große Ehrentor aus weißem Marmor mit Mustern, das größte seiner Art in China. Es ist fast 29 m hoch. Danach folgt das Haupttor der Gräber, durch das der 800 m lange Heilige Weg zu den Gräbern führt. An beiden Seiten des Heiligen Weges stehen 24 steinerne Tierfiguren (je vier Löwen, Fabeltiere, Kamele, Elefanten, mythische Einhörner und Pferde) und 12 steinere Menschenfiguren (militärische Würdenträger, zivile Würdenträger und verdiente Beamte, ebenfalls je vier). Am Ende dieser Statuenallee erreicht man das „Drachen- und Phönix-Tor." Von hier kann man schon Gräber zwischen Kiefern und Zypressen und ihre Nebengebäude mit roten Mauern und goldenen glasierten Dachziegeln sehen. Die Gräber sind in verschiedenen Bergkesseln verstreut.

Die architektonische Gestaltung der 13 Ming-Gräber ist fast gleichartig. Der Baukomplex des Changling-Grabes jedoch ist am imposantesten. Die Ling´en-Halle (Halle des Segens) des Grabes ist am besten erhalten. Das Erstaunen der Besucher erwecken immer wieder die 32 riesigen Säulen aus Nanmu (duftendes Sandelholz) im Innern der Halle. Die vier größten Säulen haben einen Durchmesser von 1,17 m. Zum Bau der 13 Ming-Gräber war eine große Menge Baumaterialien wie Steine und Hölzer sowie Ziegel erforderlich. Die Bauten sind Schätze der chinesischen Architektur in der alten Zeit und Kristall der Weisheit der chinesischen Bevölkerung.

Heute sind die früheren kaiserlichen, ehemals verbotenen Stätten zu Ausflugzielen der einfachen Leute und Touristen geworden. Die Gräber und die Ausstellung der ausgegrabenen Gegenstände sowie der Ming-Gräber-Stausee sind zugänglich für Besucher. Die Gräber sind gleichzeitig Forschungsobjekte für Historiker, Architekten, bildende Künstler sowie Handwerker.

Prefazione

In una bella zona, nel distretto di Changping presso Beijing, si trovano le Tredici Tombe dei Ming, un gruppo di costruzioni funerarie che custodiscono le spoglie di tredici dei sedici imperatori Ming (1368-1644) con le rispettive imperatrici e seconde mogli. Il luogo è un'amena vallata circondata da colline a est, ovest e nord. L'accesso meridionale alla valle è guardato dalle due colline del Drago e della Tigre.

In base a un'antica tradizione, i sovrani dovevano predisporre le proprie tombe mentre erano ancora in vita. Secondo questa tradizione, iniziata durante la dinastia Zhou (1066 a.C. ca. - 221 a.C.), i sovrani dovevano godere il massimo onore anche nel mondo dei morti, dunque anche la loro ultima dimora doveva corrispondere a queste condizioni. Le tombe dei Ming sono le maggiori sia per valore architettonico e sia per dimensioni.

Dopo la conquista di Beijing nel 1368, Zhu Yuanzhang, fece di Nanjing la capitale della dinastia Ming da lui fondata. La sua tomba si trova qui. Il suo successore, Zhu Di (imperatore Chengzu), trasferì nel 1421 la capitale a Beijing e nel 1409 diede ordine di costruire la sua tomba a Changping. La costruzione delle tredici tombe dei Ming si protrasse per oltre 200 anni, fino al 1644, anno della caduta della dinastia Ming.

La Via degli Spiriti inizia a sud con un portale in marmo che con i suoi 29 m di larghezza è il più grande del genere in Cina e conduce al Changling, ossia al mausoleo di Yongle. Oltrepassato il portale, si arriva al Dahongmen (Grande Porta Rossa), ingresso principale del mausoleo. Più avanti vi è la via degli Animali di Pietra. Ai due lati della via, lunga 800 m, sono collocate 12 coppie di animali e 6 di uomini, tutti in pietra. Dal Changling, lo sguardo abbraccia tutto il complesso, i monti Tianshou e i boschi di conifere, dietro ai quali fanno capolino le mura e i tetti ricoperti di tegole gialle delle tredici tombe.

Il Changling è la più grande delle tredici tombe. All'interno della tomba si trova il palazzo della Grazia Eminente. Esso è sostenuto da 32 colonne in legno di sandalo della provincia dello Yunnan (si tratta di prezioso legno *nanmu*): i quattro pilastri centrali sono più grandi. Grazie alla sapiente struttura, il palazzo si conserva ancora oggi, nonostante l'esposizione agli agenti atmosferici per 500 anni. Il complesso, che comprende altre costruzioni, richiese enormi quantità di pietra, legno e mattoni e rappresenta un esempio senza eguali dell'antica architettura e dell'intelligenza del popolo cinesi.

L'accesso alla zona delle tombe era proibito a tutti coloro che non fossero espressamente autorizzati. Oggi, l'area, una località turistica e che attira l'interesse non solo dei visitatori, ma anche di studiosi di storia, architettura e arti minori Ming.

Introduccán

Las Trece Tumbas Ming se encuentran en el distrito de Changping de Beijing. Se trata de un camposanto donde se ubican las tumbas de 13 emperadores, 23 emperatrices y de una concubina pertenecientes a la dinastía Ming (1368—1644). Al sur, uno frente al otro, se alzan el monte Longshan y el monte Hushan. Flanqueado por montañas al este, al oeste y al norte, el cementerio se halla de hecho en una hoya, por la que cruza el río Wenyu de aguas cristalinas de oeste a norte.

Durante la dinastía Zhou (1066—221 a.n.e.), surgió en China la práctica de "conceder lugares específicos que sirvieran como cementerio". Y desde aquel entonces, los emperadores de las diversas dinastías posteriores construyeron sus cámaras mortuorias de tal forma que pudieran gozar en el otro mundo de los mismos honores que tenían en su vida real. Con el andar del tiempo, aparecieron mausoleos de mayor envergadura. Entre éstos se encuentran las tumbas Ming, que constituyen un magnífico ejemplo del arte arquitectónico nunca visto hasta ese momento.

Zhu Yuanzhang, fundador de la dinastía Ming, se declaró emperador en Nanjing, por lo que tras su fallecimiento el mausoleo en su honor se construyó en esa misma ciudad. En 1421, después de que el emperador Cheng Zu (Zhu Di) subiera al trono, la capital fue trasladada a Beijing. Y la construcción de las Trece Tumbas se inició allá por el año 1409 en lo que es hoy Changping y no se terminó hasta 1644, año en que cayó la dinastía Ming. Las obras duraron un total de 235 años.

Al extremo sur de la Vía de la Santidad, se alza un enorme pórtico honorífico realizado todo él en mármol blanco que mide más de 28 m. de ancho. Es el más grande de entre todos los pórticos que existen en China. Al franquearlo, se ve la entrada principal bautizada como "Dagongmen" (Entrada al Gran Palacio). La Vía de la Santidad, también designada con el nombre de "Vía Divina", se prolonga a lo largo de 800 m. A ambos lados, se encuentran un total de 18 parejas de esculturas de piedra que representan figuras humanas y de animales. Distinguidas por su línea enérgica y desenvuelta, parecen dotadas de vida. En la parte trasera del cementerio, está la puerta Longfeng (del Dragón y del Fénix), de diseño muy bello. Al pie de la colina Tianshou crecen cipreses verdes y frondosos. Los suntuosos palacios de muros rojos con tejado vidriado en color amarillo y el Pabellón Minglou que perfora el firmamento, forman una conjunto paisajístico verdaderamente espléndido y magnífico. Los trece mausoleos se hallan apartados y tranquilos cada uno al pie de una colina.

Las Trece Tumbas tienen edificios y disposiciones similares. De todas ellas, la Tumba Changling es la más grande. A pesar de sus más de 500 años de existencia, el Palacio Ling'en se encuentra todavía en un buen estado de conservación. En su interior se alinean 32 enormes columnas de madera de *nanmu* (*Castanopsis hystrix*), siendo las cuatro del medio más grandes, lo que asegura una estructura particularmente sólida.

La cantidad de madera, piedra y ladrillos que se emplearon en la construcción de esta tumba es incalculable. Este tesoro arquitectónico del arte milenario chino cristaliza con precisión la sabiduría del pueblo trabajador de la época.

Este recinto, cuyo acceso estaba prohibido por expreso deseo de los emperadores feudales, está en la actualidad abierto a los turistas. No sólo permiten a los visitantes conocer el Embalse de las Trece Tumbas y el Museo de la Tumba Diling, sino que se trata además de un lugar importante para los especialistas y estudiosos de la historia, la arquitectura y las artes aplicadas de la dinastía Ming.

머리말

　북경 창평구에 위치한 명대 13릉은 명대(1368-1644년) 13명 황제의 능묘군이다. 이곳에는 또 23명 황후와 1명의 귀비가 한데 묻혀 있다. 이 거대한 능원의 동·서·북 3면은 산에 둘러싸여 있고 중간은 자연적으로 형성된 분지이며 온유하의 맑은 물이 북서쪽으로부터 굽이굽이 에돌아 흐른다. 남쪽에는 용산과 호산이 마주 서있다.

　중국은 주대(약 BC 1066-BC 221년)에 이미 "흙을 쌓아올려 무덤을 만드는" 법이 나왔다. 그후 역대의 제왕들은 "저승"에 가서도 생전의 지고무상한 영광을 누리기 위해 능침의 규모를 확대하기 시작했다. 그 중에서도 명대 제왕릉의 건축공예는 역사적으로 공전의 수준에 이르렀다.

　명태조 주원장은 개국 후 남경에서 황위에 오르고 능묘도 남경에다 건설했다. 명성조 주체는 황위에 오른 후 1421년에 도읍을 북경에 옮겼으나 능묘는 1409년부터 오늘의 창평에다 건조하기 시작하였다. 1644년 명대가 멸망할 때까지 13개 능의 건조 공사는 무려 200여년에 걸쳐 진행되었다.

　명대 13릉의 "신도" 최남단에 높고 크게 세운 한백옥 석패방은 총 너비가 29m에 달하여 전국에 현존하는 최대 석방 건축물이다. 능문을 들어서면 능원의 정문인 대궁문이 나진다. 대궁문을 지나면 능묘로 통하는 신도가 뻗어있는데 총 길이는 800m이다. 신도 양컨에는 18쌍의 석인·석수가 있는데 형상이 힘있고 핍진하다. 그 뒤에 있는 용봉문은 설계가 정교하다. 천수산기슭에는 측백이 검푸르고 붉은 담벽에 금빛 기와를 인 전각과 높이 솟은 명루들은 매우 웅장화려하다. 원근의 13개 능묘는 저마다 모두 작으마한 산밑에 자리해 있고 처마장식물과 성벽의 축조 등이 모두 아늑한 분위기를 자아낸다.

　명대 13개 릉의 형태는 기본적으로 같다. 그중 장릉의 규모가 제일 크다. 장릉의 능은전은 완전하게 보전되었으며 대전안의 32개 녹나무 기둥중에서 가운데의 4개가 제일 크다. 대전은 구조가 잘 짜이어 이미 500여년이 지난 오늘까지도 여전하다. 13릉의 건설 공사는 매우 방대하여 소요된 석재·목재·벽돌 등의 수량이 이만저만이 아니었다. 13릉은 실로 고대 건축예술의 보물고이며 고대 근로인민들의 지혜의 결실이다.

　당년에 봉건 황제들이 백성의 출입을 금지했던 능원이 오늘은 관광승지로 되었다. 관광객들은 13릉저수지·정릉박물관 등 관광지도 유람할 수 있다. 이곳은 이미 국내외 관광객들의 유람지로 되었을 뿐만 아니라 명대의 역사·건축·공예미술을 연구하는 전문가와 학자들의 중요한 여구대상으로도 되었다.

前書き

　北京市昌平県に位する明の十三陵は、明朝（1368-1644年）の13人の皇帝の廟墓群で、ほかにここに葬られているものにはまた23人の皇后と1人の貴妃がいる。ここは規模が大きい墓苑で、東、西と北の3面は山が立ち並び、中央は天然の盆地になっており、西北から伝わってきた清らかな温楡河はうねうねと流れ、南側は竜山と虎山が相対峙するように聳え立つ。

　中国では周朝（約紀元前1066-前221年）から、「土を盛り上げて墳とする」ことが始まった。以来、歴代各朝の皇帝は「幽冥な世界」においても、生前の至上の栄耀を享受できるようにと考えて、廟墓の築造規模を絶えず拡大し、うち明代帝王の廟墓は、建築工芸が歴史上かつてない水準に達した。

　明の太祖、朱元璋は国を建てて南京で帝として称え、彼の陵墓も南京に建てられた。成祖の朱棣は即位後、1421年に都を北京に遷した。十三陵の建設工事は、今日の昌平で廟墓の築造をはじめた1409年から明の滅亡の1644年まで、前後200年余り続いていた。

　十三陵に通じる「神道」の最南端に、高くて華麗な石造牌坊（鳥居式の門）がある。幅が約29㍍で、漢白玉石を彫刻して造られ、中国に現存する最大の石造牌坊である。ここをくぐると、陵園の正門、大宮門にあたる。大宮門の裏側から墓苑に通じる道は、神路（参道）と呼ばれ、全長は800㍍。神路の両側には、石を刻して造った18対の石人と石獣が立ち並び、頑丈で真に迫る。続いている門は竜鳳門と呼ばれ、精巧なデザインの門である。ここから見た目の前の天寿山ろくは、柏の老木がうっそうと生い茂り、赤い塀に囲まれ金碧に輝く屋根の宮殿や反り返った軒先をもつ高い明楼（周囲に塀のない楼）は、雄大そのものである。それぞれ小さな山の麓に建てられた13の廟墓は、1つ1つの宝城（墓の盛り土）とともに、幽冥な世界をつくりあげている。

　13の廟墓は、形も造りもほぼ同じで、うち長陵の規模は最も大きい。陵内の完全な形に保たれた?恩殿を支えた32の楠の柱のうち、真ん中の4つは最も逞しい。殿は構造が緊密きわまりで、500年余り経っていても今なお完全で破損がない。十三陵の営造にはおびただしい量の石才、木材とレンガが使われた。十三陵は古代建築芸術の宝庫で、勤労人民の知恵の結晶である。

　往年の封建帝王の禁苑は、今や観光の勝地となり、観光客はここを見学すると同時に、十三陵ダムや定陵博物館に行って見ることもできる。ここは国内外の観光客があこがれる観光のスポットだけでなく、専門家や学者が明代の歴史、建築、工芸美術を研究するための重要な場所でもある。

石牌坊

　　建于1540年，全部是汉白玉仿木结构雕成。形制为五门六柱十一楼，面阔28.86米，高约12米。方柱下的夹柱石不仅起到了固定的作用，而且四面均雕刻着生动的图案。这是我国目前规模最大的石牌坊。

Memorial Arch

　　The Memorial Arch, built of white marble, was erected in 1540. It is 12 meters high and 28.86 meters wide, and has five arches supported by six pillars with beautiful bas-relief carvings of lions, dragons and lotus flowers. It is the biggest one existing in China.

Le Portique monumental en pierre

　　Construit en 1540, il est fait de marbre blanc finement sculpté. Comprenant 6 piliers sur 5 travées surmontées de 11 toitures juxtaposées ou superposées, de 28,86 m de large sur 12 m de haut, c'est le plus grand des portiques en pierre subsistants en Chine.

Das große Ehrentor aus weißem Marmor

　　Das Tor wird von 6 Marmorsäulen getragen, die fünf Durchgänge mit elf gemeißelte Dächern bilden. Es wurde 1540 gebaut und ist 12 m hoch und 28,86 m breit.

Portale di marmo

　　Il Portale di marmo risale al 1540. Poggia su sei colonne, ha cinque entrate e misura 29 m di larghezza e 12 di altezza. È il maggiore portale in marmo della Cina.

El Pórtico del Honor

　　Levantado en 1540, está hecho de mármol blanco, aunque asemeja una estructura de madera. Con cinco puertas y seis columnas, mide 28,86 m. de ancho y 12 m. de alto. Es el más grande de su tipo en China.

석패방

　　1540년에 건조, 목조구조를 모방하여 한백옥으로 조각했다. 형태는 5 개 문, 6 개 기둥, 11 개 누각으로 되었는데 너비 28.86m, 높이 약 12m로 중국에 현존하는 최대 석패방이다.

石牌坊

　　1540年に建てられたもので、全体は木造建築を真似て漢白玉石を刻してつくられている。4門、6柱と11楼の構造で、間口は28.86㍍で、高さは12㍍。中国に現存する最大規模の石造牌坊である。

大宫门
The Great Palace Gate
La Grande Porte rouge
Das Haupttor Dagongmen
Grande Porta Rossa
Entrada Dagong (Gran Palacio).
대궁문
大宮門

下马碑
The Dismounting Stele
Stèle portant l'inscription ordonnant de descendre de cheval
Die Steintafel mit der Inschrift: "Alle militärischen und zivilen Würdenträger haben hier vom Pferd abzusteigen."
Stele. Qui tutti devono scendere da cavallo.
Estela conocida como Xiama, ante la cual tanto militares como civiles debían descabalgar.
하마비
下馬碑

碑亭

是一座重檐方亭，四面开门，内竖"大明长陵神功圣德碑"，上刻为明成祖朱棣歌功颂德撰写的碑文。

The Stele Pavilion

The Stele Pavilion has double eaves and is a square building with a gate on each side. There is a marble tablet in it, which called "Stele of Divine Merit and Sacred Virtue, Changling, Great Ming". And on the front of the tablet was engraved resume of Emperor Zhu Di.

Le Pavillon de la stèle

C'est un pavillon carré à double toiture et percé d'une porte de chaque côté. Il abrite une stèle portant des inscriptions chantant les mérite et les vertus de l'empereur Chengzu des Ming.

Der Pavillon mit der Gedenksteintafel

Den viereckigen und an allen Seiten offenen Pavillon bedeckt ein zweistufiges Dach. Auf einer Seite der Tafel im Pavillon ist eingraviert: „Changling-Gedenktafel für den göttlichen Verdienst und die heilige Tugend des Kaisers der großen Ming-Dynastie", und auf der Rückseite dokumentiert eine Tafelinschrift die Verdienste des Kaisers Zhu Di.

Padiglione della Stele

Il Padiglione della Stele con quattro entrate contiene una stele in marmo.L'iscrizione riportata sulla stele recita "Toba dell'imperatore Chengzu".

Templete de la Lápida

Con doble alero, tiene un forma cuadrada. En cada uno de sus cuatro lados hay una puerta de acceso. En el interior, se ubica una lápida con una inscripción que elogia los méritos y las virtudes del emperador Cheng Zu (Zhu Di), perteneciente a la dinastía Ming.

비정

비정은 겹처마로 된 정방형 정자로 사면에 문이 나있고 안에 "대명 장릉 신공 성덕비"가 세워져 있으며 그 위에 명성조 주체의 공적과 은덕을 찬양하는 비문이 새겨져 있다.

碑亭

重厚な屋根をもつ四角形の亭で、4面に門が開かれてある。真ん中に立てられた「大明長陵神功聖德碑」の上には、成祖帝朱棣をたたえる碑文が刻まれている。

游人穿过明代祭陵的必经之路大宫门，有条长800米的大道，叫神路。路两旁有一组雕刻群，始建于1435年，均用整块巨石琢成。有石兽24座，石人12座。石兽有狮子、獬豸、骆驼、象、麒麟、马，各二坐二立；石人有勋臣、文臣、武臣三种，都是立像。这组石像时至今日，仍雄壮生动，基本完好，是一组很有价值的石雕艺术品。

La via degli Animali di Pietra

La Via degli Animali di Pietra, l'unico accesso per andare a rendere omaggio alle tombe dei Ming, misura 800 m di lunghezza e risale al 1435. Su ciascuno dei due lati, la successione parte con una colonna e prosegue poi alternativamente con un animale in piedi e uno assiso. Complessivamente, comprende dodici paia di animali: leoni, cammelli, elefanti, cavalli e i mitici animali Xiezhi e Qilin (unicorni e chimere) e sei coppie di uomini, dignitari, militari e civili, che chiudono la serie.

Sacred Way

The Sacred Way begins from the Stone Memorial Arch and heads for the Changling Tomb. It was originally built for Changling Tomb, and later it was converted into the main approach to the whole Ming Tombs. Alongside the Sacred Way there are 2 dragon-entwined pillars in hexagon and 18 pairs of marble figures. Among the marble figures, 24 are animal figures (they are lions, xiezhi, camels, elephants, qilin and horses in turn); and the other 12 are human statues (they are Ministers of Merit, Civilian Officials, Military Officers), representing all officials in different ranks.

Vía de la Santidad

En tiempos de la dinastía Ming, la Vía de la Santidad era paso inevitable para llegar hasta el Cementerio Ming durante la celebración de las diversas ceremonias en memoria de los emperadores. Su construción se inició en 1435. A los dos lados de esta ruta de 800 m. de longitud, se puede observar un grupo de esculturas hechas en piedra: Un total de 12 figuras humanas de pie, representan personajes con títulos honoríficos otorgados por sus méritos, así tenemos ministros, civiles y generales. Además hay otras 24 figuras de animales, tales como dos leones, dos *xiezhi* (animal legendario), dos camellos, dos elefantes y dos caballos. Este grupo de esculturas tiene un alto valor histórico y artístico.

La Voie sacrée

La Voie sacrée bordée de 24 animaux et 12 de personnages de pierre s'étire sur 800 m. C'est le seul chemin permettant d'accéder à la nécropole impériale des Ming. Tous ces animaux et personnages furent sculptés chacun dans un seul bloc de pierre. On compte de chaque côté deux lions, deux Xie Zhi (animal légendaire), deux chameaux, deux d'éléphants, deux licornes chinoises et deux chevaux dont l'un(e) de chaque espèce est accroupi(e) et l'autre debout. Les 12 personnages sont des hommes de mérite, des ministres ou des généraux, toutes les statues sont en pied. Bien conservées, ces statues de pierre sont d'une valeur inestimable.

신도

신도는 명대 제릉으로 가려면 반드시 거쳐야 하는 길목으로서 길이 800m에 달한다. 길 양켠에는 1435년에 조각하기 시작한 거석 조각군이 늘어서 있으며 조각군에는 석수 24기, 석인 12기가 있다. 석수로는 사자 · 해치 · 낙타 · 코끼리 · 기린 · 말이 각각 한쌍씩 엎드려 있거나 서있고 석인으로는 훈신 · 문신 · 무신 3종류의 사람이 서있다. 이 석상들은 지금까지도 여전히 완전하게 보전되어 있어 매우 가치있는 석각 예술품으로 꼽힌다.

Der Heilige Weg

Er war der einzige Weg zu den Gräbern, wenn kaiserliche Familienmitglieder eine Opferfeier dort veranstalten wollten. Der Heilige Weg wurde 1435 angelegt und ist 800 m lang. Auf beiden Seiten des Wegs sind 24 steinerne Tierfiguren (je vier Löwen, Fabeltiere, Kamele, Elefanten, mythische Einhörne und Pferde) und 12 steinerne Menschenfiguren (militärische Würdenträger, zivile Würdenträger und verdiente Beamte, auch je vier) zu sehen, alle sind jeweils aus einem weißen Steinblock gehauen. Alle sind als Kunstwerke gut erhalten.

神路（参道）

明代に陵を祭る時どうしても通らなければならない道。長さ800㍍、1435年に築かれ、すべては大型長石を敷いてつくられている。両側は24点の石獣と12点の石像が列を成して立ち並ぶ。石獣には立っていると跪いている獅子、獬豸、駱駝、象、麒麟、馬が各1対で、石像には勲人（功労者）、文臣と武臣の3種があり、いずれも立像である。今日に至っても完全に保たれたこの組の石の彫像は、価値がかなり高い彫刻芸術品である。

①狮子
Stone Lion
Lion
Steinlöwe
Statua di leone
Estatua de un león.
사자
獅子

②獬豸
Stone Xiezhi
Xiezhi
Fabeltier Xiezhi
Statua di Xiezhi
Estatua de un Xiezhi.
해치
獬豸

③麒麟
Stone Qilin
Licorne
Fabeltier Qilin
Statua di Qilin
Estatua de un *qinlin*.
기린
麒麟

④骆驼
Stone Camel
Chameau
Steinkamel
Statua di cammello
Estatua de un camello.
낙타
駱駝

①石马
Stone Horse
Cheval
Sleinferd
Statua di cavallo
Estatua de un cabello.
석마
石馬

②神路
Sacred Way
Voie sacrée
Heiliger weg
La Via sacra
La Ruta Sagrada.
신도
参道

③神路雪景
Sacred Way in Snow
La voie sacrée après la neige
Schneelandschaft
La Via sacra sotto la neve
La Ruta Sagrada bajo la nieve.
신도설경
参道の雪景色

④石象
Stone Elephant
Eléphant
Steinelefant
Statua d'elefante
Estatua de un elefante.
석상
石象

①②文臣
Civilian Officials
Ministres
Zivilminister
Statua di ufficialole
Estatua de un oficial.
문신
文臣

③勋臣
Ministers of Merit
Ministre de mérites
Verdienster Minister
Ministro onoraio
Ministro honorífico.
훈신
勋臣

武臣
Military Officers
Généraux
Generale
Ufficiale di armata
Oficial de la armada.
무신
武臣

棂星门

又叫龙凤门，形制为三门六柱。三门大额坊中雕有宝珠、火焰，所以又有"火焰牌坊"之称。古人认为陵墓前的棂星门有阴阳相隔之意，进入棂星门，便意味着到了阴间。

Lingxing Gate

The Lingxing Gate is also called "the Gate of Dragon and Phoenix". It consists of three doors. Flames are carved on the horizontal tablet of the doors, hence another name: Flames Arch. In ancient China, it was said that one went into the gate meant he went to the nether regions.

La porte Lingxing

Connue aussi sous le nom de la porte du Dragon et du Phénix, elle possède six piliers et trois entrées. Sur les linteaux de cette porte sont sculptées des perles et des flammes, c'est pourquoi elle est aussi appelée " la porte des Flammes". Autrefois, on pensait que la porte Lingxing séparait le monde de l'au-delà de celui des vivants. Une fois passé à travers cette porte, on entre dans l'au-delà.

Das Drachen- und Phönix-Tor

Über den sechs Säulen des dreibogigen Tores sind Steinreliefs in Formen von Perlen und Flammen angebracht, deshalb es auch das Flammen-Tor genannt wird. In der alten Zeiten betrachtete man das Tor als die Grenze zwischen dem Diesseits und dem Jenseits.

Lingxinmen

Il Lingxinmen, Porta della Fenice e del Drago, chiamata anche Altare delle Fiamme per il rilievo di perle, pietre e fiamme sull'arcata delle porte, ha tre porte e sei colonne. Il Lingxinmen rappresenta la separazione tra il mondo dei morti e quello dei vivi. Oltrepassare il Lingxinmen significava entrare nel mondo dei morti.

Puerta Lingxing

Conocida también como "Long-feng" (del Dragón y del Fénix), tiene tres entradas y seis columnas. Encima de las entradas se aprecian motivos de perlas y de llamas de fuego, de ahí proviene el otro nombre de "Pórtico de las Llamas". Los antiguos creían que la puerta Lingxing frente al cementerio servía como límite entre la tierra y el cielo. Por ello, franquear la puerta Lingxing significaba ingresar en la mansión de los muertos.

영성문

용봉문이라고도 하며 형태는 3개 문, 6개 기둥으로 되었다. 3개 문의 이마에는 19 진주 보석과 화염이 조각되어 있으므로 "화염패방" 이라고도 불린다. 옛날 사람들은 능묘 앞의 영성문이 음과 양을 갈라놓는다고 여겼으므로 영성문에 들어서면 바로 저승에 들어섰음을 의미한다.

欞星門

またの名を龍鳳門といい、3門6柱の構造で、3門中央の「大額坊」に宝珠、火焔が刻されていることから、また「火焔牌坊」の称がある。古代の人々は、欞星門がこの世とあの世の境界線で、欞星門をくぐるとあの世に入っていると考えていた。

长陵，是明成祖朱棣与皇后徐氏的合葬陵寝。是明十三陵中修建最早、规模最大的一座陵墓。

朱棣（1360 年 --1424 年），明太祖朱元璋第四子。初封燕王，"靖难之役"后即位称帝。年号永乐，庙号成祖，在位 22 年。明成祖是位有作为的皇帝，如解除藩王兵权；派郑和出使西洋；命人编撰《永乐大典》等。

Das Changling-Grab

Es ist das Grab des Kaisers Chengzu Zhu Di und der Kaiserin Xu sowie das erste und größte Grab der 13 Ming-Gräber.

Zhu Di (1360 — 1424) war der vierte Sohn des Kaisers Taizu Zhu Yuanzhang. Er wurde mit dem Gebiet um Beijing als Fürst Yanwang belehnt. Nach dem Sieg über seine Gegner fiel die damalige Hauptstadt Nanjing in seine Hand, und er gelangte auf dem Thron. Als dritter Kaiser der Ming-Dynastie regierte er 22 Jahre, und in seiner Regierungszeit enthob er die Militärmachthaber, ließ Eunuch Zheng He Handelskontakte mit dem Westen aufnehmen und das „Yongle-Wörterbuch„ zusammenstellen.

장릉

장릉은 명성조 주체와 황후 서씨의 합장 능침으로서 명대 13릉 가운데서 제일 오래고 규모가 큰 능묘이다.

주체(1360-1424년)는 명태조 주원장의 넷째 아들이다. 처음에는 연왕(燕王)으로 봉해졌다가 "정난지역(靖難之役)" 이후 황위에 올랐다. 연호는 영락, 시호는 성조, 재위기간은 22년이었다. 번왕(藩王)의 병권을 해제하고 정화(鄭和)를 서양에 사자로 파견하였으며『영락대전(永樂大典)』을 편찬케 하는 등 업적이 많은 황제였다.

長陵

明の成祖朱棣と皇后徐氏の合同廟墓で、明の十三陵の中でも最も早く築造され、規模が最も大きい陵墓である。

朱棣（1360－1424年）、明の太祖朱元璋の4子、最初は燕王として封じられ、「靖難之役」の後に君臨し帝として称え、年号は永楽、廟号は成祖。22年間在位した有為な君主で、たとえば藩王の兵権の撤廃、鄭和の西洋下り、『永楽大典』の編纂などは、いずれも彼が在位した時期に行われたものである。

Changling

Changling is the tomb of Emperor Zhu Di and his wife Empress Xu. It is the first and biggest one in all of thirteen Emperors' tombs.

Zhu Di(1360-1424) , whose posthumous title was Chengzu, was the fourth son of Zhu Yuanzhang, the founder of the Ming Dynasty. Originally as the Prince of Yan, he guarded the northern frontier near Beijing. In 1402, Zhu Di took over the throne after winning the war against Emperor Jianwen, his nephew. Zhu Di was a capable emperor in the Ming Dynasty, he sent Zheng He, a court eunuch to exploit the "Silk Road" on the sea; the famous "Yongle Canon" was also compiled by his order. Zhu Di was on the throne for 22 years with the Reign Title of Yongle.

Changling

Il Changling è il mausoleo dell'imperatore Chengzu e della moglie, l'imperatrice Xu. Il Changling è la prima e più grande delle tredici tombe dei Ming.

Zhu Di (1360-1424), nipote di Zhu Di, il fondatore della dinastia Ming, prima di salire al trono, dopo la battaglia a Jingnan, fu principe del regno di Yan. Il suo regno prese il nome di Yongle e durò 22 anni. Durante questo periodo, l'imperatore prese molte iniziative importanti: revocò i diritti militari al re Pan (Wu Sangui), affidò a Zheng He la missione di andare in Occidente e fece compilare l'Enciclopedia Yongle

Le tombeau Changling

Le Changling est le mausolée de Zhu Di, empereur Chengzu, et de son épouse, l'impératrice Xu. C'est le tombeau construit le plus tôt et le plus grand des Treize Tombeaux des Ming.

Zhu Di (1360-1424) était le quatrième fils de Zhu Yuanzhang, empereur Taizu des Ming. Au départ, il avait reçu le titre de prince Yan. Après la campagne de pacification du Sud du pays, il monta sur le trône pour devenir l'empereur Chengzu et désigna son règne "Yongle". Durant les 22 ans de son règne, il prit un certain nombre de mesures utiles, comme par exemple la privation de pouvoir militaire des gouverneurs dans les régions frontières, l'envoi de Zheng He pour missions dans des pays étrangers, la compilation de l'encyclopédie de Yongle, etc.

Tumba Changling

Es un sepulcro en el que yacen juntos el emperador Cheng Zu (Zhu Di) y su esposa Xu. Es la más grande y la más antigua de entre las Trece Tumbas Ming.

Zhu Di (1360—1424) fue el cuatro hijo de Zhu Yuanzhang, fundador de la dinastía Ming. Al comienzo llevó el título de "Príncipe Yan", aunque más tarde se autoproclamó emperador. El título de su reinado es "Yongle", y su nombre póstumo, Cheng Zu. Durante su reinado, que duró 22 años, obtuvo muchos éxitos. Así por ejemplo, arrebató el poder militar a los príncipes tributarios de las fronteras del imperio, mandó al navegante Zheng He fomentar el comercio de China con los países del sur de Asia y ordenó compilar la *Enciclopedia Yongle*.

长陵鸟瞰
A Bird's Eye View of Changling
Vue aérienne du Changling
Panorama des Changling-Grabes

Veduta aerea della Tomba Changling
Vista aérea de la Tumba Changling.
장릉 조감
長陵鳥かん

碑亭
Stele Pavilion
Le Pavillon de la stèle
Das Pavillon mit der Gedenksteintafel
Padiglione della Stele
Templete de la Lápida.
비정
碑亭

长陵陵门
The Gate of Changling
La porte du Changling
Der Eingang des Changling-Grabes
Entrata del Changling
Entrada de la Tumba Changling.
장릉의 능문
長陵の陵門

①长陵焚帛炉
　　用来焚烧祭祀时用的神帛和祝版的。
Sacrificial Paper Burner
　　It was used to burn commemorative inscriptions and sacred silk materials after sacrificial rites in the Ming Dynasty.
Le four d'incinération
　　Le four d'incinération servait à brûler de la soie et de la monnaie de papier pour les morts.
Der Ofen zum Verbrennen der Opfergaben
　　Der Ofen zum Verbrennen der Opfergaben wie Seide und Baumwollstoffe sowie Totengeld.
Braciere per seta
　　Nel braciere si bruciavano seta e messaggi augurali incisi su stecche di bambù durante i sacrifici.

Horno para incinerar sedas
　　Este horno servía para incinerar sedas que seempleaban como ofrendas para los antepasados.
분백로
　　분백로는 제사 때 신백과 축판을 태우는 기구이다.
焚帛炉
　　祭祀時に使われた神帛と祝版を焼く炉

②祾恩门
Ling'en Gate
La porte Ling'en
Das Tor des Segens (Das Leng´en-Tor)
Porta della Grazia Eminente
Puerta Ling'en.
능은문
祾恩門

长陵祾恩殿

　　祭祀时行祭典礼的场所。祾恩意为感恩受福。每一个陵都有祾恩殿。长陵祾恩殿是十三陵中惟一保存完好的祾恩殿，建于1427年，仿明朝皇宫金銮殿所建，占地4400多平方米。殿顶全部由黄色琉璃瓦覆盖，远望金碧辉煌。

Ling'en Hall

　　Ling'en Hall (the Hall of Eminent Favor) was built in 1427, covering an area of 4,400 square meters. The sacrificial ceremonies were held here in the Ming Dynasty. The Ling'en Hall in Changling is the best preserved one in all thirteen emperors' tombs. Covered with yellow tiles, it looks dazzlingly splendid and magnificent.

La salle Ling'en

　　A l'époque, la cérémonie à la mémoire des ancêtres avait lieu dans cette salle. C'est la seule des salles des rites sacrificiels des Treize Tombeaux des Ming à être restée en bon état. Construite en 1427, elle occupe 4 400 m². Avec ses toitures couvertes de tuiles vernissées jaunes, elle rayonne de splendeur.

Die Halle des Segens (Die Ling´en-Halle)

　　Hier wurden die Opferfeiern veranstaltet. Die Halle mit den goldenen glasierten Dachziegeln wurde 1427 auf einer Bodenfläche von 4400 qm gebaut.

Palazzo della Grazia Eminente

　　Il Palazzo della Grazia Eminente nel Changling, in cui un tempo venivano preparate e presentate le offerte, è l'unico del genere fra le tredici tombe. Risale nel 1427, esso occupa una superficie di 4.400 mq. Il tetto è coperto da tegole invetriate gialle.

Palacio Ling'en

　　Era un recinto en el que se ofrecían sacrificios a los antepasados. El Palacio Ling'en de la Tumba Changling es el único intacto de entre los edificios de su tipo en las Trece Tumbas Ming. Construido en 1427, ocupa una superficie de 4.400 metros cuadrados. El techo está cubierto de tejas vidriadas de color amarillo, de modo que a lo lejos el edificio se ve increiblemente resplandeciente y magnífico.

능은전

　　제사 때에 제례를 행하는 장소이다. 장릉의 능은전은 13 개 능 중에서 유일하게 완전히 보전된 전각으로서 1427년에 건조되고 부지 4400 여㎡에 달한다. 전각의 지붕은 황금빛 유리기와를 이어놓아 멀리서 보면 금빛이 찬란하다.

祾恩殿

　　祭祀行事を行う場所。長陵の祾恩殿は、十三陵でも完全に保たれた唯一の祾恩殿で、1427年に築造され、敷地は4400㎡。黄色い瑠璃瓦を葺いた屋根は、遠くから見れば金色に輝く。

长陵祾恩殿内景

祾恩殿大殿构件全部是楠木，不加修饰。殿内共有60根立柱支撑着殿顶，直径最粗的达1.124米。大殿至今已历时500多年，仍然牢固如初。它与北京故宫的太和殿、山东曲阜孔庙的大成殿并称中国的三大殿。

Interior of Ling'en Hall in Changling

The Ling'en hall was supported by 60 gigantic columns of nanmu, a kind of cedar, 32 of them could be seen directly. And the thickest four columns in the center are 1.124 meters in diameter. The hall is still intact over 500 years.

Vue intérieure de la salle Ling'en

Sa structure est entièrement en bois. La charpente est soutenue par 60 colonnes de bois dont 32 sont visibles. Elles mesurent 12,58 m de haut. Les quatre colonnes centrales sont les plus colossales, puisque leur diamètre atteint 1,124 m. La salle Ling'en existe depuis plus de 500 ans et sa structure est aussi résistante qu'au début.

Die innere Ausstattung der Halle des Segens

Alle Konstruktionsglieder der Halle sind aus Nanmu-Holz. Das Hallendach wurden von 60 Nanmu-Stützen getragen, 32 davon sind je 12,58 m hoch und sichtbar, und die weiteren 4 in der Mitte der Halle mit einem Durchmesser von 1,124 m, während die übrigen Stützen in der Mauer nicht sichtbar sind. Die über 500 jährige Halle ist bis heute mit einer haltbaren Konstruktion.

Interno del Palazzo della Grazia Eminente

Lo stupendo tetto ricoperto di tegole invetriate gialle è sostenuto da 60 colonne in legno di sandalo della provincia dello Yunnan: le 32 colonne hanno un'altezza di 12,58 m e i quattro pilastri centrali hanno un diametro di 1,124 m. il palazzo fu costruito 500 anni fa.

Interior del Palacio Ling'en

La estructura de este edificio está terminada en madera de *nanmu*. El techo descansa sobre 60 columnas hechas a base de troncos enteros, de las cuales 32 son visibles y miden cada una 12,58 m. Por su parte, las cuatro de en medio tienen cada una un diámetro de 1,124 m, siendo más gruesas. A pesar de los más de 500 años de existencia, el palacio es hoy en día todavía muy sólido.

능은전 내부

전내의 구조물은 전부 녹나무로 만들고 칠을 하지 않았다. 대전은 60개의 기둥이 천정을 받치고 있는데 모두 옹근 금사녹나무를 다듬어 세웠다. 그중 32개 기둥은 완전히 드러나 있는데 기둥의 높이는 12.58m, 그중 가운데의 4개 기둥이 제일 굵으며 직경은 1.124m에 달한다. 대전은 이미 500여년의 개월을 지나왔지만 최초나 다름없이 견고하다.

祾恩殿の内部風景

殿全体はクスノキでつくられ、いかなる装飾も施されていない。屋根を支える60本の柱の1つ1つは、1本のクスノキを加工してつくられ、うちの32本は明柱（周りに壁のない柱）で、高さが12.58㍍。中央にある4本は最も太く、直径が1.124㍍に達する。大殿は500年あまり経ったがいまなお丈夫で最初のままである。

朱棣皇帝坐像
The Statue of Emperor Zhu Di
Statue de l'empereur Chengzu en posture assise.
Kaiser Zhu Di
L'imperatore Zhu Di seduto.
Estatua del emperdor Zhu Di sentado.
주체제의 좌상
朱棣皇帝坐像

二柱门
The Double-Pillar Gate of Changling
La porte Erzhu
Das Tor mit den zwei Säulen
Porta con due pilastri
Puerta Erzhu (Dos Columnas).
이주문
二柱門

①长陵明楼

明楼是陵墓的标志，置于宝城之上，内竖高大的石碑，称"圣号碑"。

La Tour de la stèle du Changling

La Tour de la stèle (Minglou) élevée sur le mur d'enceinte du tumulus est l'emblème du tombeau. Elle abrite une énorme stèle portant l'inscription désignant le nom dynastique de l'occupant du tombeau.

Torre della Stele nel Changling

La Torre della Stele è il simbolo del mausoleo. Innalzata sul Baocheng (Muro prezioso), contiene una stele chiamata "Stele Shenhao".

장릉의 명루

명루는 능묘의 표지로 성벽위에 자리해 있으며 누각안에는 높고 큰 석비 "성호비" 깄가 세워져 있다.

Soul Tower

The Soul Tower is the symbol of a tomb. It comprises two parts, the square stone foundation and the pavilion, which houses the "Shenghao Stele".

Der Pavillon der Klarheit des Changling-Grabes

Der Pavillon ist das Wahrzeichen des Grabes und wurde auf dem Grabhügel errichtet. Im Pavillon steht eine große Steintafel.

Pabellón Minglou (Luminoso) de la Tumba Changling

Esta construcción es el símbolo de la tumba. Está encima de Baocheng (la Ciudad del Tesoro) y en su interior se levanta una alta losa, bautizada con el nombre de "Lápida Sheghao".

長陵の明楼

明楼は廟墓の目印で、宝城（墓の盛土）の上に建てられ、内に立てられた高い石碑は「聖号碑」と呼ばれる。

②石五供

摆放于明楼前，为象征性祭器。中间为香炉，两旁分别有一对烛台和一对花瓶。

Stone Altar-pieces

The five stone alter pieces include an incense burner, a pair of candlesticks and a pair of flower vases. They were placed here as symbolic sacrifice to the deceased.

Die Steinbank mit fünf Opfergeräten

Sie steht vor dem Pavillon der Klarheit als das Symbol der Opfergeräte. In der Mitte steht ein Weihrauchbehälter, und an beiden Seiten zwei Kerzenhalter und zwei Vasen.

Altare marmoreo con cinque vasi rituali

L'Altare marmoreo con cinque vasi rituali davanti alla Torre della Stele serviva per offrire sacrifici. Al centro è collocato un incensiere, ai due lati, rispettivamente una coppia di candelabri e un vaso da fiori.

Les cinq objets rituels en pierre

Mis devant la Tour de la stèle, ce sont des objets de sacrifice symboliques. Au centre, on trouve un brûle-encens et de chaque côté, un chandelier et un vase à fleurs.

Cinco Ofrendas Pétreas

Se trata de diversos objetos sagrados con carácter simbólico que se encuentran delante del Pabellón Minglou. En medio de un par de candeleros y de un par de floreros, está colocado el incensiario.

석오공

명루 앞에 놓여 있는 상징적인 제기이다. 복판에 향로가 있고 양컨에 각각 한쌍의 촛대와 한쌍의 꽃병이 있다.

石五供

明楼の前に置かれた象徴的な祭器で、真ん中は香炉になっており、両側にそれぞれ1対の燭台と花瓶がある。

献陵

献陵,是仁宗皇帝朱高炽的陵墓。

朱高炽(1378年--1425年),系明成祖朱棣长子。生于凤阳,18岁时召至南京,永乐二年27岁时册立为皇太子。仁宗即位后,任用"三杨",注意百姓的休养生息,修订纲纪,使社会继续出现兴盛景象。同时,仁宗也是个比较注重节俭的皇帝,就连陵寝也提出要从俭,因此献陵规模较小,只用3个月就建成了。

仁宗于1425年病逝,在位不足9个月。

Xianling

Xianling was the tomb of Emperor Zhu Gaochi. Zhu Gaochi (1378-1425) was the eldest son of Emperor Zhu Di. He administrated the country with benevolence, and people lived peaceful lives during his reigning period. Zhu Gaochi was a thrifty emperor, and he ordered his tomb to be built simply, so the Xianling was small in scale. Zhu Gaochi died in 1425, no more than nine months after his enthroning.

Le tombeau Xianling

C'est le tombeau de Zhu Gaozhi, empereur Renzong des Ming.

Zhu Gaozhi (1378-1425) était le fils aîné de l'empereur Chengzu. Après son avènement au trône, il se préoccupa des conditions de vie du peuple et fit modifier les lois et les règlements si bien que la société continua à connaître une période de prospérité. L'empereur Renzong prêtait une grande attention à l'économie, c'est pourquoi le Xianling est plus petit que les autres. Mort de maladie en 1425, il régna pendant moins de 9 mois.

Das Xianling-Grab

Es ist das Grab des Kaisers Renzong Zhu Gaozhi.

Zhu Gaozhi (1378 — 1425) war der erste Sohn des Kaisers Chengzu Zhu Di. Nach seiner Thronbesteigung richtete er die Aufmerksamkeit auf die Verbesserung der Lebensverhältnisse der Bevölkerung, auf die Ausarbeitung der staatlichen Regelungen und auf die Sparsamkeit, was zur Entwicklung der Wirtschaft und der Gesellschaft führte. Leider regierte er nur knapp neun Monate lang.

Xianling

Xianling è il mausoleo dell'imperatore Renzong, Zhu Gaochi.

Zhu Gaochi (1378-1425), primogenito di Zhu Di, durante il suo breve regno, si preoccupò molto del benessere del popolo. Egli fece aggiornare le leggi per preservare la prosperità sociale. Propose la costruzione del suo mausoleo in economia, che spiega perché la sua tomba è più piccola delle altre. Morì nel 1425 di malattia, dopo soli 9 mesi di regno.

Tumba Xianling

Ocupada por Zhu Gaochi (1378—1425), emperador Ren Zong.

Fue el primogénito del emperador Cheng Zu (Zhu Di). Durante su reinado, se preocupó por la vida de su pueblo y enmendó leyes y disciplinas, con lo cual la nación se hizo próspera. Ren Zong fomentó la moderación en el gasto, apoyando la idea de construir mausoleos económicos. Por ello, la tumba Xianling es de menor tamaño. Murió por una enfermedad en 1425, y sus reinado no duró más de nueves meses.

헌릉

헌릉은 인종제 주고치의 능묘이다.

주고치(1378-1425)는 명성조 주체의 맏아들이다. 등극한 후 백성들의 의기를 회복시키고 사회의 질서와 기강을 바로잡음으로써 나라의 흥성과 발전 국면을 유지하려 했다. 인종은 또 생활에서 절약을 중시하며 능침의 건설에서도 검소하게 할 것을 제의하였으므로 헌릉의 규모는 비교적 작은 편이다. 인종은 1425년에 병으로 별세했다. 재위기간은 9개월도 안되었다.

献陵

仁宗帝朱高炽の廟墓。

朱高炽(1378--1425年)は成祖・朱隷の長男で、即位後、国民負担の軽減、生産力の発展、社会秩序の整頓や法令制度の制定に注意を払って、社会の繁栄を続けることに成功した。仁宗が廟墓の築造にわりに節約を重んじたため、彼の献陵は規模が比較的小さかった。仁宗は1425年に病没、在位は9ヶ月足らなかった。

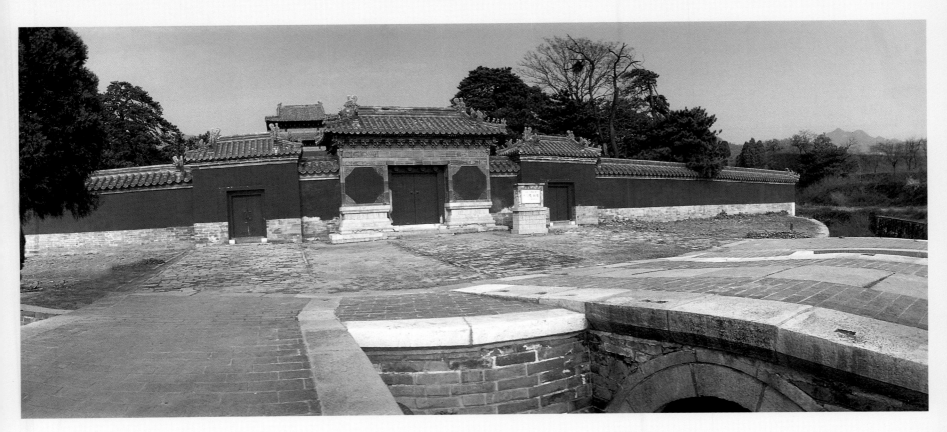

① 三座门
The Triple Gate of Xianling
La porte à trois entrées (Sanzuomen)
Das Sanzuomen-Tor (Die Drei Tore)
Porta con tre entrate
Puerta Sanzuo.
삼좌문
三座門

②远眺献陵
Xianling viewed from the distance
Une vue lointaine du tombeau Xianling
Ein Blick über das Xianling-Grab
Veduta del Xianling
Vistas desde lejos de la Tumba Xianling.
멀리서 바라본 헌릉
献陵遠望

朱瞻基年号宣德，庙号宣宗。

朱瞻基（1398年--1435年），仁宗长子。生于北京，11岁时立为皇太孙。洪熙元年（1425年）六月即皇帝位。在位10年，38岁病逝于乾清宫。

宣宗时，已是明朝鼎盛时期。他即位后，采取了一些利国利民的措施，社会较为安定，仓廪充盈，百姓乐业。自己的陵墓也从俭修建。但，孙氏受封，不但有册，还制金宝赐之。妃有宝自此始。

Jingling

Jingling was the tomb of Emperor Zhu Zhanji.

Zhu Zhanji (1398-1435), whose posthumous title was Xuanzong, became emperor in 1425. Zhu Zhanji carried on the policies of his father's. During his ten-years of administration, the Ming Dynasty became prosperous, as well as the society became stable. His tomb was also built simply.

경릉

경릉은 선종제 주첨기의 능묘이다.

주첨기(1398-1435년)는 연호 선덕시호 선종이다 1425 년에 즉위하여 재위 기간은 10년,38세에 건청궁에서 병으로 별세했다.

선종 때는 명대의 전성기였다. 그는 즉위한 후 나라와 국민에게 유리한 일련의 조처를 취하였다. 따라서 사회가 안정되고 창고가 가득 찼으며 백성들이 즐겁게 일하며 살았다. 그는 자기의 능묘도 검소하게 건조했다.

景陵

宣宗帝朱瞻基の廟墓。

朱瞻基（1398--1435年）、年号は宣徳、廟号は宣宗、1425年6月に即位、在位は10年、38歳のとき乾清宮にて病没。

宣宗は明が最盛期に入っている時期の皇帝で、彼が即位した後に取った、国と民に利益になる一部の措置のおかげで、社会はわりに安定し、衣食は十分で、国民は心楽しく働いた。彼の廟墓はわりに簡単に築造されたものである。

Le tombeau Jingling

Le Jingling renferme les restes de Zhu Zhanji, empereur Xuanzong des Ming.

Zhu Zhanji (1398-1435), empereur Xuanzong, règne Xuande. Monté sur le trône en juin 1425, il régna pendant 10 ans et mourut de maladie à l'âge de 38 ans dans le palais de la Pureté céleste.

Sous son règne, la dynastie des Ming atteint l'apogée de sa puissance. Après son avènement au trône, il prit des mesures favorables à l'Etat et au peuple de telle sorte que l'ordre social fut amélioré, les réserves de céréales abondantes et le peuple menait une vie paisible. Son propre tombeau est aussi moins grand que les autres.

Das Jingling-Grab

Das ist das Grab des Kaisers Xuanzong Zhu Zhanji.

Zhu Zhanji (1398 — 1435), dessen Regierungszeit die Bezeichnung Xuande und er selbst den posthum verliehenen Namen Xuanzong erhielt, bestieg im Juni 1425 den Thron und starb im Alter von nur 38 Jahren im Qianqing-Palast in der Verbotenen Stadt. Er regierte 10 Jahre.

Die Regierungszeit des Kaisers Xuanzong war die Blütezeit der Ming-Dynastie. Damals ergriff der Kaiser einige Maßnahmen zur Verbesserung der Lebensqualität des Volkes und zur sozialen Entwicklung sowie zur Bekämpfung der Verschwendungssucht, was zur Stabilität der Gesellschaft und zur reichen Staatseinnahmen führte. Sein Grab wurde einfacher als andere gebaut.

Jingling

Il Jingling è la tomba dell'imperatore Xuanzong, Zhu Zhanji.

Zhu Zhanji (1398-1435), il cui periodo di regno si chiamò Xuande, regnò con il nome di Xuanzong. Salì al trono nel giugno 1425, e vi restò per dieci anni. Morì a 38 anni di malattia nel Palazzo della Purezza Celeste.

Durante il periodo di regno di Xuanzong, la dinastia Ming conobbe grande prosperità. Dopo l'ascesa al trono, Xuanzong prese una serie di misure che favorirono lo sviluppo dell'impero e il benessere della popolazione. Fu un'epoca di stabilità sociale con i depositi di cereali sempre pieni e la popolazione felice. Il suo mausoleo è molto semplice.

Tumba Jingling

Pertenece al emperador Xuan Zong (Zhu Zhanji, 1398—1435).

Su reinado se constituyó bajo el título de Xuande y su nombre póstumo es Xuan Zong. Subió al trono en junio de 1425. Después de 10 años en el poder, cuando tenía 38 años de edad, murió por enfermedad en el Palacio Qianqing. La época de Xuan Zon significó un período de mayor prosperidad que aquel de la dinastía Ming. Al subir al trono Zhu Zhaji adoptó una serie de políticas en bien del país y del pueblo, con las cuales la sociedad se mantuvo estable, el pueblo trabajó en paz y sus habitantes tenían suficiente ropa y alimento. Para la construcción de su propio sepúlcro se siguieron principios económicos.

内红门
The Inner Red Gate
La Porte rouge intérieure
Das Neihong-Tor
Porta Rossa interna
Puerta Roja Interior.
내홍문
内紅門

景陵明楼
The Soul Tower in Jingling
La Tour de la stèle du Jingling.
Der Pavillon der Klarheit des Jingling-Grabes
Torre della Stele nel Jingling
Pabellón Minglou (Luminoso) de la Tumba Jingling.
경릉의 명루
景陵の明楼

裕陵

朱祁镇（1427年--1464年），年号正统（后改天顺），庙号英宗，9岁即位。正统十四年（1449年）出征塞北，在土木堡（今河北怀来县境）被蒙古族瓦剌部首领也先俘虏，史称"土木之变"。一年后送回北京，但逊位于胞弟朱祁钰，以太上皇名分闲居"南内"。七年后利用"夺门"复辟，重登帝位。病逝于1464年，年仅38岁。

英宗在深宫长大，不知创业艰难，对宦官言听计从，政治日趋腐败。而宦官专权是明朝灭亡的原因之一。其间，他还诛杀于谦等功臣数十人，逐斥、革职者达百人之多。

Yuling

Yuling è il mausoleo dell'imperatore Yingzong, Zhu Qizhen.

Zhu Qizhen (1427-1464) regnò col nome di Yingzong durante il periodo di regno Zhengtong. Salì al trono all'età di nove anni. Nel 1449 uscì in battaglia a nord della Grande Muraglia. A Tumubao (distretto di Huailai, provincia del Hebei odierno), fu catturato dal capo di una tribù mongola. L'anno seguente ritornò a Beijing e abdicò, per tornare sul trono sette anni dopo. Morì nel 1464 di malattia. Regnò per complessivi 22 anni.

Yuling

Yuling was the tomb of Emperor Zhu Qizhen.

Zhu Qizhen (1427-1464), ascended to the throne at age of nine, and was gave the posthumous title as Yingzong. In 1449, he was captured in Tumubao (present Huailai County in Hebei Province) in a war against the Mongols, and was released one year later, while his brother, Emperor Jingtai, had become the monarch. After seven years living in seclusion, Zhu Qizhen staged a comeback, and took back the throne from Emperor Jingtai. He died in 1464, and had ruled the country twice for 22 years.

Tumba Yuling

Su ocupante es el emperador Ying Zong (Zhu Qizhen, 1427-1464).

Su reinado se constituyó bajo el título de Zheng Tong, mientras que su nombre póstumo es Ying Zong. Con tan sólo 9 años de edad subió al trono. En 1449, tomó parte en una expedición militar al norte de la Gran Muralla, pero fue capturado por el jefe de una tribu mongola, en lo que es hoy el distrito Huailai de la provincia de Hebei. Pasado un año, fue entregado a la corte imperial de Beijing. Tuvo que abdicar la corona en favor de su hermano carnal Zhu Qiyu y comenzó a llevar una vida ociosa a título de soberano perpetuo. Pasados siete años, subió de nuevo al trono y en 1464, murió como consecuencia de una enfermedad. Sus dos reinados duraron 22 años en total.

Le tombeau Yuling

Le Yuling est le tombeau de Zhu Qizhen, empereur Yingzong des Ming.

Zhu Qizhen (1427-1464) monta sur le trône à l'âge de 9 ans pour devenir l'empereur Yingzong des Ming. Son règne Zhengtong fut rebaptisé plus tard "Shuntian". En 1449, lors de l'expédition à Tumubu (dans l'actuel district de Huailai au Hebei), il fut capturé par Yexian, chef de la branche Wala des Mongols. Un an après, il fut renvoyé à Beijing. En son absence, son frère cadet Zhu Qiyu accéda au trône. Après le retour de l'empereur Yingzong, son frère le considéra comme un "père". Sept ans après, celui-ci s'empara du pouvoir des mains de son frère et remonta sur le trône. En 1464, il mourut de maladie. Ses deux règnes durèrent au total 22 ans.

"유릉"

유릉은 영종제 주기진의 능묘이다.

주기진(1427-1464년)은 연호 정통(후에 천순으로 개칭), 시호 영종으로 9살에 제위에 올랐다. 1449년에 만리장성 북쪽으로 출정하였다가 토목보(오늘의 하북성 회래현 경내)에서 몽고족 와츠부락 수령 야선에게 포로되었다. 1년 후 북경으로 돌아온 그는 동생 주기옥에게 밀려 태상황이란 명분으로 뱃꼭팥에서 한가이 지내다가 7년 "후탈문"을 이용하여 복벽하고 다시 제위에 올랐다. 1464년 병으로 별세, 두차례의 재위 기간을 합치면 22년이다.

Das Yuling-Grab

Es ist das Grab des Kaisers Yingzong Zhu Qizhen

Zhu Qizhen (1427 — 1464), die Bezeichnung für seine Regierungszeit ist Zhengtong (später Tianshun) und sein posthum verliehener Name Yingzong, bestieg im Alter von neun Jahren den Thron. 1449 unternahm er einen Feldzug zur Unterdrückung der mongolischen Rebellen, wurde dabei aber von einem Anführer des Waci-Stammes in Tumubao (heute im Kreis Huailai in der Provinz Hebei) gefangengenommen. Ein Jahr später wurde er zwar freigelassen, aber sein jüngerer Bruder Zhu Qiyu hatte in der Zwischenzeit den Thron usurpiert. Erst sieben Jahre danach restaurierte der Kaiser seine Stellung. 1464 starb er an einer Krankheit. Seine Regierungszeit dauerte insgesamt 22 Jahre.

裕陵

英宗帝朱祁鎮の廟墓。

朱祁鎮(1427--1464年)、年号は正統(後に天順に改められた)、廟号は英宗、9歳のときに即位。1449年、塞北への征戦で土木堡(今日の懐来県内)にて蒙古族ワチ部の首領センヤのとりことなり、1年後に北京に送還された。帝位が実弟の朱祁鎮に譲られたため、太上皇の名分で皇居の「南内」に閑居し、7年後に「奪門」事件を機に復活して再び君臨した。1464年にて病没、2回の在位は合わせて22年。

裕陵祾恩殿遗址
The Ruins of Ling'en Hall in Yuling
Emplacement de la salle Ling'en
Die Ruine der Halle des Segens
Resti del Palazzo della Grazia Eminente
Emplazamiento del Palacio Ling'en.
능은전의 유적
祾恩殿跡地

朱见深（1447年—1487年），年号成化，庙号宪宗，英宗长子，18岁时即位，在位22年，41岁时病逝。

宪宗即位之初，在政治上有所作为，大赦天下，平反冤案，在一定程度上调整了统治集团内部的矛盾。但后来，政治趋于腐败，重走宦官当道的老路，流民四起，反抗斗争不断。从成化年间始，明朝开始靠武装镇压维持其统治。

茂陵内葬一帝三后。

Maoling

Maoling è il mausoleo dell'imperatore Xianzong, Zhu Jianshen.

Zhu Jianshen (1447-1487), periodo di regno Chenghua, regnò col nome di Xianzong. Salì al trono a 18 anni e vi restò per 22 anni.

Inizialmente, Xianzong fu un imperatore molto attento: la correzione di condanne ingiuste, a un certo punto, aveva posto fine alle rivalità tra gruppi dominanti. Ma nell'ultimo periodo, la corruzione dilagante scatenò le insurrezioni dei contadini. Durante il periodo di regno di Chenghua, per consolidare il suo dominio, la dinastia Ming cominciò a reprimere le insurrezioni contadine con le armi.

Tumba Maoling

La ocupa el emperador Xian Zong (Zhu Jianshen, 1447—1487).

Su reinado lleva el título de Cheng Hua y su nombre póstumo es Xian Zong. A los 18 años asumió el trono. Su reinado duró 22 años.

Durante los primeros años de este reinado, obtuvo algunos éxitos en materia política. Ordenó una amnistía general y derogó ciertos veredictos injustos, lo cual concilió las posturas contrarias en el seno de la camarilla dominante. Más tarde, la política se volvió oscura, lo que provocó sucesivas luchas de resistencia. Desde el reinado de Cheng Hua, la dinastía Ming tuvo que recurrir a la represión armada para mantener su férrea autoridad.

무릉

무릉은 헌종제 주견심의 능묘이다.

주견심(1447-1487)은 연호 성화, 시호 헌종으로서 18 살에 제위에 올랐고 재위 기간은 22년이었다.

헌종은 즉위 초에는 정치에 힘쓰면서 대사령을 내리고 억울한 안건을 바로잡아 주었으며 어느정도 통치집단 내부의 모순도 완화시켰다. 그러나 후에는 정치적으로 부패해져 사방에서 유랑민이 떠돌고 반항투쟁이 끊임없었다. 성화년간부터는 무력탄압에 의해 통치를 유지하였다.

Maoling

The Maoling is the tomb of Emperor Zhu Jianshen.

Zhu Jianshen (1447-1487) took the throne at 18 with the reign title of Chenghua. At the beginning of his administration, Zhu Jianshen was a wise emperor. He carried on new policies and redressed mishandled cases, which mitigated the contradicting of the ruling class. However, the country was declined during his reigning period, the peasants uprising occurred constantly. The Ming Emperors began to maintain their ruling depending on armed suppression.

茂陵

憲宗帝朱見深の廟墓。

朱見深（1447—1487年）、年号は成化、廟号は憲宗、18歳のときに即位、在位は22年。

憲宗は、即位後まもない時期には成したところがあると言ってよい。大赦を行ったり、誤った判決を見なおしたりするなど彼の措置によって、支配グループ内部の矛盾はある程度で解決されたが、深刻化されつつある政治の腐敗につれ、民間では反抗闘争が絶えず、成化年間から、明朝は武装鎮圧に頼って支配を続けるしかできなかった。

Le tombeau Maoling

Le Maoling est la sépulture de Zhu Jianshen, empereur Xianzong des Ming.

Zhu Jianshen (1447-1487), empereur Xianzong, règne Chenghua. Monté sur le trône à l'âge de 18 ans, il régna pendant 22 ans.

Au début de son règne, l'empereur Xianzong accomplit des actions appréciables comme une amnistie générale et la réhabilitation des victimes des erreurs judiciaires, ce qui eut pour effet d'atténuer dans une certaine mesure les contradictions à sein de la classe dirigeante. Plus tard, le pouvoir commença à entrer dans un processus de pourrissement et les soulèvements de paysans se multiplièrent. A partir de son règne, la cour impériale des Ming recourut à la force pour maintenir sa domination.

Das Maoling-Grab

Das Maoling-Grab ist das Grab des Kaisers Xianzong Zhu Jianshen.

Zhu Jianshen (1447 — 1487), die Bezeichnung für die Regierungszeit ist Chenghua und sein posthum verliehener Name Xianzong, bestieg im Alter von 18 Jahren den Thron und regierte 22 Jahre.

Anfang seiner Regierungszeit führte er Amnestien durch und ließ Fehlurteile aufheben, was zur Entschärfung der Widersprüche innerhalb der Herrscherclique führte. Aber die politische Korruption und immer mehr Obdachlose im Lande führten zu den Aufständen. Deswegen verstärkte die Ming-Dynastie die Unterdrückung, um ihre Herrschaft zu wahren.

石五供
Stone Altar-pieces
Les cinq objets rituels en pierre
Die Steinbank mit fünf Opfergeräten
Altare marmoreo con cinque vasi rituali
Cinco Ofrendas Pétreas.
석오공
石五供

三座门
The Triple Gate of Maoling
La porte à trois entrées
Das Sanzuomen-Tor (Die drei Tore)
Tre porte
Puerta Sanzhuo.
삼좌문
三座門

二柱门
The Double-Pillar Gate of Maoling
La porte Erzhu
Das Tor mit den zwei Säulen
Porta con due colonne
Puerta Erzhu (de las Dos Columnas).
이주문
二柱門

泰陵

朱祐樘年号弘治，庙号孝宗。与皇后张氏合葬泰陵。

朱祐樘（1470年--1505年），18岁时即位，弘治十八年五月病死于乾清宫，年仅36岁。

孝宗是一位较好的皇帝。他即位后廉洁而贤明，采取了一系列好的治国方略，勤政爱民，重用贤臣；兴修水利，减少赋税，疏远佞臣。据传，他一生只娶张皇后一人，没有再进封别人为嫔妃。

Tailing

Tailing è il mausoleo dell'imperatore Xiaozong, Zhu Youtang.

Zhu Youtang (1470-1505), il cui regno prese il nome di Hongzhi, regnò col nome di Xiaozong. Salì al trono a 18 anni e morì nel 1505 di malattia nel palazzo della Purezza Celeste all'età di 36 anni.

Xiaozong fu un imperatore buono. Durante il suo regno, governò il paese con giustizia dando al popolo pace e sicurezza. Era molto accorto nel trattare gli affari statali e amava il suo popolo. Fece costruire opere idrauliche, abolì molte tasse e si tenne lontano da cortigiani corrotti. Si dice che Xiaozong ebbe solo una donna, l'imperatrice Zhang.

Das Tailing-Grab

Es ist das Grab des Kaisers Xiaozong Zhu Youtang.

Zhu Youtang (1470 — 1505), die Bezeichnung für seine Regierungszeit ist Hongzhi und sein posthum verliehener Name Xiaozong, bestieg den Thron im Alter von 18 Jahren und starb 1505 im Qianqing-Palast in der Verbotenen Stadt im Alter von 36 Jahren.

Als ein redlicher und rechtschaffener Kaiser arbeitete er eine Reihe von Regelungen und Maßnahmen wie Beförderung der fähigen Beamten, Durchführung von Wasserbauprojekten, Reduzierung der Steuern und Abgaben sowie die Ablehnung der Schmeichler aus. Man sagt, dass er nur eine einzige Ehefrau Kaiserin Zhang ohne kaiserliche Konkubine hohen Ranges hatte.

태릉

태릉은 효종제 주우당의 능묘이다.

주우당(1470-1505 년)은 연호 홍치, 시호 효종, 18살에 즉위하여 1505 년 건청궁에서 36 살을 일기로 병사했다.

효종은 비교적 좋은 황제였다. 그는 즉위한 후 청렴하고 현명한 이념으로 일련의 훌륭한 치국방침을 실시하였으며 정사에 근면하고 백성을 아끼고 현명한 신하들을 중용하였다. 수리시설을 건설하고 조세를 감소하였으며 못된 신하들을 멀리하였다. 전하는 바에 의하면 그는 평생 황후 장씨 한 여인만을 맞아들이고 다른 빈비를 받아들이지 않았다고 한다.

Tailing

Tailing was the tomb of Emperor Zhu Youtang.

Zhu Youtang (1470-1505), whose reign title was Hongzhi and posthumous title was Xiaozong, was the ninth emperor of the Ming Dynasty. He succeeded to the throne at the age of 18, and was a wise and diligent ruler. During his ruling, Zhu Youtang reduced taxation, put talented officials into important positions, get rid of the crafty and fawning, and started construction of water irrigating system and conservancy. He died in Qianqing Palace in the Forbidden City at the age of only 36. It was said that he had no other wives but Empress Zhang.

Tumba Tailing

Pertenece al Emperdor Xiao Zong (Zhu Youtang, 1470—1505).

A su reinado se le conoció como Hong Zhi y su nombre póstumo es Xiao Zong. A los 18 años accedió al trono y reinó en total 22 años. Murió de enfermedad en el Palacio Qianqing cuando contaba con tan sólo 36 años de edad.

Xiao Zong fue un buen soberano. Durante su reinado se mostró íntegro y honrando, sabio y clarividente. Adoptó una serie de estrategias dedicadas a la administración del país. Mostró gran diligencia en el despacho de los asuntos estatales y amó a su pueblo. Puso a personas honradas en puestos de importancia, se alejó de los funcionarios y ministros desleales y fomentó la construcción de obras hidráulicas. Además, redujo los impuestos. Según dicen, tuvo en su vida sólo una esposa: la emperatriz apellidada Zhang.

Le tombeau Tailing

Le Tailing est le tombeau de Zhu Youtang, empereur Xiaozong des Ming.

Zhu Youtang (1470-1505), empereur Xiaozong, règne Hongzhi. Il accéda au trône à l'âge de 18 ans. Lorsqu'il mourut de maladie en 1505, il n'avait que 36 ans.

L'empereur Xiaozong était un bon souverain. Intègre et éclairé, il prit une série de mesures favorables à l'Etat. Il réglait minutieusement les affaires d'Etat et se préoccupait du sort du peuple. Il donna des postes importants à des hommes éminents et tenait les infidèles à distance. Il fit construire des ouvrages hydrauliques et réduire les impôts. On dit qu'il n'épousa que l'impératrice Zhang, sans prendre aucune autre concubine.

泰陵

孝宗帝朱祐樘の廟墓。

朱祐樘(1470--1505年)、年号は弘治、廟号は孝宗、18歳のときに即位、1505年乾清宮にて病没、年はわずか36歳。

孝宗帝はわりにいい皇帝と言ってよく、即位後、廉潔政治を行い、有能な官吏の登用し、水利工事の振興に力を入れ、民を愛して租税を軽減し、腐敗官吏の解職をするなど国を治める一連の効果的な政策を取った。言い伝えでは、彼は生涯皇后張氏だけをもち、妃を封じたことがないという。

泰陵明楼
The Soul Tower of Tailing
La Tour de la stèle du Tailing
Der Pavillon der Klarheit des
Tailing-Grabes
Torre della Stele nel Tailing
Pabellón Minglou (Luminoso) de
la Tumba Tailing.
태릉의 명루
泰陵の明楼

远眺明楼
Viewed the Soul Tower from the distance
La Tour de la stèle du Tailing, vue de loin
Ein Blick über den Pavillon der Klarheit des Tailing-Grabes
Veduta della Torre della Stele
Perspectiva del pabellón Luminoso.
멀리서 바라본 명루
明楼遠望

祾恩殿殿基
The Ruin of Ling'en Hall in Tailing
Ruines de la salle Ling'en
Das Fundament der Halle des Segens
Fondamenta del Palazzo della Grazia Eminente
Tumba Kangling
능은전의 토대
祾恩殿の基礎

康陵

康陵葬武宗皇帝朱厚照与皇后夏氏。

朱厚照（1491年--1521年），年号正德，庙号武宗，14岁时即帝位，在位16年。31岁时病逝。

武宗皇帝好淫乐，不问国事，造成宦官专权。挥霍浪费十分惊人，奢侈无度。当时，农民起义此起彼伏，震撼了明王朝的统治。

Kangling

The Kangling was the tomb of Emperor Zhu Houzhao.

Zhu Houzhao (1491-1521), whose reign title was Zhengde and posthumous title was Wuzong, succeeded to the throne at the age of 14 but, indulged himself into a prodigal life. He disregraded state affairs, and lived in luxury. More and more peasants uprisings shaked the ruling of the Ming Court.

Le tombeau Kangling

Le Kangling est le tombeau de Zhu Houzhao (1491-1521), empereur Wuzong des Ming.

Zhu Houzhao (1491-1521), empereur Wuzong, règne Zhengde. Monté sur le trône à l'âge de 14 ans, il régna pendant 16 ans. Menant une vie de luxe et de débauche, il laissa de côté les affaires d'Etat. Les insurrections paysannes qui se succédaient ébranlèrent le pouvoir de la cour impériale des Ming.

Das Kangling-Grab

Das Grab des Kaisers Wuzong Zhu Houzhao.

Zhu Houzhao (1491 — 1521), die Bezeichnung für seine Regierungszeit ist Zhengde und sein posthum verliehener Name Wuzhong, bestieg im Alter von 14 Jahren den Thron und regierte 16 Jahre. Er führte ein luxuriöses, verschwenderisches und verkommenes Leben. Bauernaufstände erschütterten die Herrschaft der Ming-Dynastie.

Kangling

Kangling è il mausoleo dell'imperatore Wuzong, Zhu Houzhao.

Zhu Houzhao (1491-1521), il cui regno prese il nome di Zhengde, regnò col nome di Wuzong. Salì al trono all'età di 14 anni, restandovi per 16 anni. Wuzong fu un imperatore a cui piaceva indulgere nella lussuria e nel divertimento, condusse una vita nel lusso a scapito degli affari statali. Le insurrezioni contadine minacciarono il dominio imperiale della dinastia Ming.

Tumba Kangling

Pertenece al emperador Wu Zong (Zhu Houzhao 1491—1521). Su reinado se constituyó bajo el título de Zheng De y su nombre póstumo es Wu Zong. A los 14 años subió al trono y reinó 16 años en total. Se entregó a la lujuria y no se preocupó de los asuntos estatales. Durante su reinado, estallaron diversas insurrecciones campesinas, lo cual debilitó inevitablemente la dominación de la dinastía Ming.

강릉

강릉은 무종제 주후조의 능묘이다.

주후조(1491-1521년)는 연호 정덕, 시호 무종, 14살에 즉위하여 16년간 재위했다. 무종제는 음란과 향락을 일삼고 국사는 불문하고 사치만 부리었다. 때문에 사처에서 농민봉기가 일어나 명왕조의 통치를 동요시켰다.

康陵

武宗帝朱厚照の廟墓。

朱厚照（1491--1521年）、年号は正徳、廟号は武宗、14歳のときに即位、在位は16年。

朱厚照帝は国事を問わず、酒色におぼれることだけがとりわけ好きであった。在位時の明王朝は、農民蜂起があちこちに勃発する不安定な時期である。

康陵明楼
The Soul Tower of Kangling
La Tour de la stèle du Kangling.
Der Pavillon der Klarheit des Kangling-Grabes
Torre della Stele nel Kangling
Pabellón Minglou (Luminoso) de la Tumba Kangling.
강릉 이주문의 유적
康陵の明楼

永陵，是世宗皇帝朱厚熜生前修建的。

朱厚熜（1507年--1566年），宪宗孙，其父兴献王封藩湖北安陆（今钟祥县），武宗皇帝无子嗣，朱厚熜以堂弟入京即位。年号嘉靖，庙号世宗，在位45年，终年60岁。

朱厚熜是昏庸、荒淫的皇帝，一生迷信道教，妄图得道成仙，很少过问政事。由严嵩专国二十年。曾下旨修复已经建成百年的七陵，亲自过问巡视永陵的修建，故永陵比长陵多了一道外围墙。

合葬永陵的后妃共3人。皇后陈氏；继后方氏；还有杜太后，于隆庆元年（1567年）迁葬永陵。

Yongling

Yongling è il mausoleo dell'imperatore Shizong, Zhu Houcong, che lo fece costruire quando era in età giovane.

Zhu Houcong (1507-1566), nipote dell'imperatore Xianzong, poiché l'imperatore Wuzong non aveva successori, come cugino, entrò a Beijing e salì al trono col nome di Shizong. Il suo periodo di regno, che prese il nome di Jiajing, durò ben 45 anni.

Zhu Houcong fu un imperatore inetto e condusse una vita dissoluta trascurando gli affari statali che per venti anni furono curati dal ministro Yan Song. Zhu Houcong curò personalmente la costruzione della sua ultima dimora, perciò il suo mausoleo ha una cinta muraria all'esterno laddove il Changling ne è priva.

Yongling

The Yongling was the tomb of the Emperor Zhu Houcong, which he built in his lifetime.

Zhu Houcong (1507-1566) became emperor as the cousin of Emperor Zhu Houzhao, because Zhu Houzhao had no son. And he stayed 45 years on the throne with the reign title of Jiajing. Zhu Houcong was a fatuous emperor, he indulged in Taoism and paid no attention to the state affairs. In fact, Yan Song, a fawning, had got the power. Zhu Houcong cared about his mausoleum very much, so the Yongling has one more wall than Changling.

Pabellón Minglou (Luminoso) de la Tumba Yongling

Fue el mausoleo del emperador Shi Zong (Zhu Houcong), quien ordenó en vida la construcción del mismo para alojar sus restos una vez fallecido. Zhu Houcong (1507—1566) fue nieto de Xian Zong. El emperador Wu Zong no tuvo ningún hijo, así que Zhu Houcong, primo del anterior, fue llamado a la capital para asumir el trono. A su reinado, que duró 45 años, se le conoció como Jia Jing y su nombre póstumo es Shi Zong.

Fue un soberano presuntuoso y soberbio. Se abandonó a la lujuria, sin preocuparse de los asuntos del Estado que cayeron durante 20 años en manos de Yan Song, quien, además, intervino en la construcción de la Tumba Yongling, la cual tiene un muro de circunvalación más que la Tumba Changling.

Le tombeau Yongling

Le Yongling est le tombeau de Zhu Houcong, empereur Shizong des Ming, construit de son vivant.

Zhu Houcong (1507-1566) était le petit-fils de l'empereur Xianzong. Comme l'empereur Wuzong n'avait pas de fils, son cousin germain du côté paternel Zhou Houcong succéda à la couronne pour devenir l'empereur Shizong, règne Jiajing. Il régna pendant 45 ans.

Zhu Houcong était un souverain stupide et sybarite. Essentiellement préoccupé de superstitions taoïstes, il s'occupa rarement des affaires d'Etat tout au long de sa vie, permettant au mandarin Yan Song de faire la loi pendant 20 ans. Il fit cependant personnellement une tournée d'inspection sur le chantier du Yongling, raison pour laquelle ce dernier a un mur d'enceinte de plus que le Changling.

영릉

영릉은 세종제 주후총이 생전에 자기를 위해 축조한 능묘이다.

주후총(1507-1566년)은 헌종의 손자이다. 무종제에게 아들이 없었으므로 주후총은 사촌 동생의 명분으로 입경하여 제위에 올랐다. 연호는 가정, 시호는 세종이며 재위 기간은 45년이었다.

주후총은 우매하고 방탕한 황제로 한평생 도교에 미혹되어 정사도 거의 돌보지 않았으므로 엄숭이 20년동안 나라를 다스렸다. 한때 영릉의 공사 현장을 시찰한 적이 있어 영릉에는 장릉보다 외성이 한겹 더 있다.

Das Yongling-Grab

Das Grab ließ Kaiser Shizong Zhu Houcong noch zu seinen Lebzeiten bauen.

Zhu Houcong (1507 — 1566) war Enkel des Kaisers Xianzong, bestieg als jüngerer Bruder des Kaisers Wuzong den Thron und regierte 45 Jahre, Bezeichnung der Regierungszeit: Jiajing und posthum verliehener Name: Shizong.

Zhu Houcong war ein wirrköpfiger und verkommener Kaiser, ergab sich dem Taoismus und regelte kaum Staatsangelegenheit. Fast 20 Jahre übte der tyrannische Beamter Yan Song die Staatsmacht aus.

永陵

世宗帝朱厚熜が生前自らのために築造した廟墓。

朱厚熜（1507--1566年）は憲宗帝の孫で、武宗帝に子息がいないため、朱厚熜は父方の従兄弟の身分で上京して即位、年号は嘉靖、廟号は世宗、在位は45年。

朱厚熜は愚昧で酒色におぼれ、生涯道教に信じ、政事に関心を示すことはめったにない。国政は20年間厳嵩に任せていた。かつては永陵の築造を視察したことがある。永陵が長陵よりもう1つの外塀をもつことはここに由来したものである。

丹陛石

　　置于祾恩殿前御路正中。石质洁白，石上雕刻龙凤、海浪、宝山及云纹，构图精妙，刀法流畅。

Danbi Stone

　　The Danbi Stone is also called the Painted Floor. It always bears exquisite relief carvings of a dragon and a phoenix, playing in the sea and river waves.

La pierre Danbi

　　Cette pierre est posée au milieu de l'allée réservée aux empereurs devant la salle Ling'en. Toute blanche, elle est ornée de dragons, de phénix, de vagues, de montagnes et de nuages finement sculptés.

Der Danbi-Steinblock

　　Dieser weiße Steinblock mit wunderschönen, gemeißelten Motivreliefs von Drachen und Phönix, Wogen, Bergen und Wolken bedeckt die Mitte des kaiserlichen Wegs zur Halle des Segens.

Lastra del Drago e della Fenice

　　La lastra del Drago e della Fenice è ubicata al centro della via Sacra davanti al Palazzo della Grazia Eminente. La lastra reca scolpite immagini di drago, fenice, onde marine, nuvole e monti.

Escalinata Danbi

　　Está situada en medio de la Vía Imperial, la cual conduce al Palacio Lin'gen. Compuesta por losas de piedra blanca está decorada con bellos grabados de dragones, aves fénix, olas, nubes y montañas. La composición de estos motivos, que muestran un excelente arte escultórico, es verdaderamente ingeniosa.

단폐석

　　능은전 앞 어로 복판에 놓여 있다. 석질이 희고 용봉 · 파도 · 보산 및 구름구늬가 조각되어 있으며 구도가 교묘하고 조각 기예가 유창하다.

丹陛石

　　祾恩殿前の御道の真ん中にある純白な石で、上には竜、鳳凰、海波、宝山と雲の文様が刻されてある。構図は精巧で刻み方は流暢である。

永陵明楼
The Soul Tower of Yongling
La Tour de la stèle du Yongling
Der Pavillon der Klarheit am Yongling-Grab
Palazzo della Grazia Eminente nel Yongling
Pabellón Minglou (Luminoso) de la Tumba Yongling.
영릉의 명루
永陵の明楼

永陵白皮松
Lacebark Pine in Yongling
Un pin à écorce blanche dans la sépulture Yongling
Die Weißkiefer am Yongling-Grab
Pino (*Pinus bungeana*) nel cortile del Yongling
Pinos de Bunge en el recinto de la Tumba Yongling.
영릉의 백송
永陵の白松

昭陵

朱载垕（1537年--1572年），年号隆庆，庙号穆宗，世宗第三子，初封裕王，30岁时即帝位，在位6年，终年36岁。

穆宗即位后，革弊施新，任用贤能，下令释放深得民心而入狱的海瑞；重视汉蒙两族人民团结，加强边贸合作；任用戚继光、李成梁等名将，加强边防。

但隆庆时期，统治集团腐朽没落，国事进一步衰落。

Zhaoling

Zhaoling è il mausoleo dell'imperatore Muzong, Zhu Zaihou.

Zhu Zaihou (1537-1572), il cui periodo di regno prese il nome di Longqing, regnò col nome di Muzong. Salì al trono all'età di 30 anni, rimanendovi per sei anni.

Muzong adottò nuove politiche. Ordinò la liberazione di Hai Rui, promuovendo l'unità tra i popoli dell'etnia han e di quella mongola, rafforzò il commercio e le frontiere e assegnò compiti importanti a Qi Jiguang, Li Chengliang e ad altri generali. La crescente corruzione della classe dominante causò il progressivo decadimento degli affari statali.

Zhaoling

Zhaoling was the tomb of Emperor Zhu Zaihou.

Zhu Zaihou (1537-1572) took over the throne at the age of 30, and died six years later. His Reign Title was Longqing, and posthumous title was Muzong.

During the reign of Zhu Zaihou, he reformed the government; redressed the mishandled cases; used talented officials; released Hai Rui, who was famous for honesty and upright, from the prison; and appointed Qi Jiguang and Li Chengliang (both were famous generals) to guard the border area. But the country was still declined because of corruption of the ruling class.

Tumba Zhaoling

Pertenece al emperador Mu Zong (Zhu Zaihou, 1537—1572). Su reinado fue conocido como Longqing, y su nombre póstumo es Mu Zong. A los 30 años asumió el trono y su reinado duró únicamente seis años.

Al subir al trono terminó con las lacras que proliferaban en aquel entonces destinando puestos de importancia a personas honradas y capaces. Mandó excarcelar a Hai Rui, funcionario que contaba con el total apoyo del pueblo, fortaleció la unión entre las etnias han mongola, fomentó el comercio fronterizo y designó a Qi Jiguang, Li Chengliang y a otros como generales para reforzar la defensa fronteriza. Pero a causa de la corrupción de la élite gobernante, el país marchó poco a poco hacia su ocaso.

Le tombeau Zhaoling

Le Zhaoling est le tombeau de Zhu Zaihou, empereur Muzong des Ming.

Zhu Zaihou (1537-1572), empereur Muzong, règne Longqing. Monté sur le trône à l'âge de 30 ans, il régna pendant 6 ans.

Après son avènement au trône, l'empereur Muzong prit de nouvelles mesures pour supprimer les abus, donna des postes importants aux hommes sages et capables et libéra de la prison le dignitaire Hai Rui qui bénéficiait d'un large soutien parmi le peuple ; il prêta une grande attention à l'union entre les ethnies Han et mongole, fit intensifier les échanges économiques entre les deux parties et assigna Qi Jiguang, Li Chengliang et d'autres généraux éminents à de nouveaux postes en vue de renforcer la défense des frontières. Pourtant, la classe dominante était déjà pourrie et l'Etat tendait à la décadence.

소릉

소릉은 목종제 주재후의 능묘이다.

주재후(1537-1572년)는 연호 융경, 시호 목종, 30살에 즉위하여 6년간 재위했다. 목종은 즉위한 후 청치 개혁을 실시하여 우수한 인재를 등용하고 민심을 얻은 해서를 옥에서 석방하도록 명령했다. 그는 또 한족과 몽고족간의 단결을 중요시하고 변경 무역을 강화하였으며 척계광·이성량 등 명장들을 등용하여 변방을 강화했다. 그러나 통치집단의 부패와 몰락으로 인해 국력은 진일보 쇠약해졌다.

Das Zhaoling-Grab

Es ist das Grab des Kaisers Muzong Zhu Zaigou.

Zhu Zaigou (1537 — 1572), die Bezeichnung für seine Regierungszeit ist Longqing und sein posthum verliehener Name Muzong, bestieg im Alter von 30 Jahren den Thron und regierte 6 Jahre.

Kaiser Muzong ergriff Maßnahmen zur Beseitigung gesellschaftlicher Missstände, förderte einige tallentierte und fähige Personen, ließ Hai Rui, ein vom Volk unterstützer und geliebter Beamter, frei, förderte die Solidarität und Zusammenschluss der Han-Bevölkerung und der Mongolen, ließ den Grenzhandel entwickeln, beförderte Qi Jiguang und Li Chengliang u.a. zu Generälen in Grenzgebieten. Aber die verdorbene Herrscherclique konnte den Niedergang der Ming-Dynastie nicht aufhalten.

昭陵

穆宗帝朱載垕の廟墓。

朱載垕（1537—1572年）、年号は隆慶、廟号は穆宗、30歳の時に即位、在位は6年。穆宗帝は即位後、旧制を取り除き新政を実施し、廉潔で有能な官吏を登用し、国民から広く支持されている海瑞を釈放し、漢民族と蒙古族の団結を重視して境界線貿易の合作を強め、国境地帯の守備を強化するため戚継光、李成梁らの名将を登用したが、支配グループ内部の腐敗のため、国事の落ちぶれていくことを阻むことができなかった。

碑亭雪景
The Stele Pavilion in Snow
Le Kiosque de la stèle après la neige
Der Pavillon mit der Gedenksteintafel im Schnee

Padiglione della Stele sotto la neve
Templete de la Lápida bajo la nieve.
비정의 설경
碑亭の雪景色

昭陵碑亭
Stele Pavilion of Zhaoling
Pavillon de la stèle
Der Pavillon beim Zhaoling-Grabhügel
Palazzo della Grazia Eminente nel Zhaoling
Palacio Ling'en de la Tumba Zhaoling.
소릉의 비정
昭陵の碑亭

昭陵三座门
Triple Gates in Zhaoling
La porte à trois entrées
Das Sanzuomen-Tor des Zhangling-Grbes
Ingresso a tre porte a Zhaoling
Tres puertas de entrada al Mausoleo Zhaolin
소릉의 삼좌문
昭陵の三座門

昭陵祾恩殿
Ling'en Hall of Zhaoling
La salle Ling'en du Zhaoling
Die Halle des Segens am Zhaoling-Grab

Il palazzo della Graria Eminente, della Tomba Zhaoling
Ling'en o Palacio de la Gracia Eminente de la tumba Zhaoling.
소릉의 능은전
昭陵の祾恩殿

祾恩殿内部陈设
The Interior of Ling'en Hall in Zhaoling
Meubles dans la salle Ling'en
Die innere Ausstattung der Halle des Segens
Arredamento interno nel Palazzo della Grazia Eminente
Interior del Palacio Ling'en.
능은전의 내부
祾恩殿内部の飾り付け

明楼及石五供
The Soul Tower and Stone Altar-pieces
La Tour de la stèle et les cinq objets rituels en pierre
Der Pavillon der Klarheit und die Steinbank mit fünf steinernen Opfergeräten
Torre della Stele e Altare marmoreo con cinque vasi rituali
Pabellón Minglou (Luminoso) y las Cinco Ofrendas Pétreas.
명루 및 석오공
明楼と石五供

二柱门
The Double-Pillar of Zhaoling
La porte Erzhu
Das Tor mit zwei Säulen
Porta con due pilastri
Puerta Erzhu (de las Dos Columnas).
이주문
二柱門

① 昭陵全景
The Panorama of Zhaoling
Panorama du Zhaoling
Ein Blick über das Zhaoling-Grab
Panorama del Zhaoling
Vista Panorámica de la Tumba
Zhaoling.
소릉의 전경
昭陵全景

② 昭陵宝城
The Precious Citadel of Zhaoling
Le mausolée Zhaoling entouré d'un
mur d'enceinte (Baocheng)
Der Pavillon beim Zhaoling-
Grabhügel
La preziosa cittadella di Zhaoling
La ciudadela de Zhaoling.
소릉의 보성
昭陵の宝城

定陵

定陵是神宗皇帝朱翊钧和孝端、孝靖两个皇后的合葬墓。

朱翊钧（1563年—1620年），年号万历，庙号神宗，10岁即位，在位48年。神宗帝即位初，主要由张居正辅政。张居正改革赋税制度，裁减冗员，治理黄河，整饬武备，使当时的政治经济有所振兴。但神宗亲政后，却废止了原来的一些好政策。他任用宦官，不问朝政，弊端百出，国势更是每况愈下。神宗关心自己陵墓的修建，故使定陵的规模修建得很大，但在他死后仅24年，明王朝便告灭亡。

Dingling

Nel Dingling vennero inumati l'imperatore Shenzong, Zhu Yijun, l'imperatrice Xiaoduan e la seconda moglie Xiaojing.

Zhu Yijun (1563-1620), il cui periodo di regno prese il nome di Wanli, regnò col nome di Shenzong. All'inizio, il sovrano non si occupò degli affari statali, curati in sua vece dal ministro Zhang Juzhen. Zhang Juzhen rinnovò il sistema delle tasse, esonerò personaggi ufficiali e fece fare lavori di arginatura del fiume Giallo. La vita politica ed economica di quell'epoca fu molto prospera. Dopo che Shenzong prese in mano la conduzione degli affari statali, dimenticò le politiche favorevoli e assegnò posti di rilievo agli eunuchi, trattando malaccortamente gli affari statali, tanto che la situazione andò peggiorando progressivamente.

정릉

정릉은 신종제 주익균과 효단 · 효정 두 황후의 합장묘이다.

주익균(1563-1620년)은 연호 만력, 시호 신종이다. 신종은 등극 초에 주로 장거정의 보좌를 받았다. 장거정은 조세제도를 개혁하고 남아도는 인원을 줄이며 황하를 치수함으로써 당시의 정치와 경제를 얼마간 진흥시켰다. 그러나 신종이 친정한 후로는 이전의 좋은 정책도 폐지하고 내시들을 임용하며 정치를 관여하지 않았으므로 국세는 더욱더 기울어졌다.

定陵

神宗帝朱翊鈞と2の皇后、孝端と孝靖の合同廟墓。

朱翊鈞（1563—1620年）、年号は万暦、廟号は神宗。神宗帝が即位した最初は、主に張居の補佐によって政治を行う。張居の税制改革、官吏の削減、黄河の治理などの措置によって、当時は政治も経済も発展する様子があった。神宗帝が自ら政治を行うようになった後、実効のある一部の政策の実行を廃止し、宦官を登用し、国事に関心を示さないため、国政はますます悪くなるようになっていく。

Dingling

Dingling was the tomb of Emperor Zhu Yijun and his two wives.

Zhu Yijun's (1563-1620) Reign Title was Wanli. At the begining of Emperor Wanli's reign period, Zhang Juzheng, a capable and hardworking minister, assisted him. The court reformed tax system; cut down the staff of the government; and harnessed the Yellow River. However, Emperor Wanli abrogated many good policies when Zhang Juzheng Died. He used eunuchs as important officials and seldom cared about the state affairs. The Ming Dynasty was weakened.

Tumba Dingling

Es un mausoleo en elque yacen juntos el emperador Shen Zong (Zhu Yijun, 1563—1620) y las emperatrices Xiao Duan y Xiao Jing.

El título de su reinado es Wan Li y su nombre póstumo es Shen Zong.

En los primeros años del reinado de Shen Zong y durante su infancia, Zhang Juzheng ayudó al soberano en la administración de los asuntos estatales. Transformó el sistema de impuestos, redujo el número de personal innecesario y dirigió la canalización de los ríos para evitar inundaciones, revitanlizando así la política y la economía. Al llegar a la mayoría de edad, Shen Zong asumió el gobierno y eliminó la aplicación de la política inicial de Zhang Juzheng que tan buen resultado había dado. Colocó a eunucos en puestos importantes y no se preocupó por la administración del Estado, lo cual debilitó cada vez más la potencia del país.

Le tombeau Dingling

Le Dingling est la sépulture de Zhu Yujun, empereur Shenzong des Ming, et de ses deux épouses, les impératrices Xiao Duan et Xiao Jing. Zhu Yujun (1563-1620), empereur Shenzong, règne Wanli. Dans les premières années qui suivirent son accession au trône, il était essentiellement assisté par Zhang Juzheng. Ce dernier réforma le système fiscal, réduisit le personnel du gouvernement et aménagea le fleuve Jaune, si bien que la situation politique et économique s'améliora. Mais depuis qu'il avait décidé de régner en personne, l'empereur Shenzong abandonna les mesures prises par Zhang Juzheng, appela des eunuques à de hautes fonctions et ne s'intéressa plus aux affaires publiques. La situation de l'Etat se détériora chaque jour davantage.

Das Dingling-Grab

Im Grab wurden der Kaiser Shenzong Zhu Yijun und die Kaiserinnen Xiaorui und Xiaojing bestattet.

Zhu Yijun (1563 — 1620), die Bezeichnung für seine Regierungszeit ist Wanli und sein posthum verliehener Name Shenzong, ernannte Zhang Juzheng zu seinem Berater in den Anfangsjahren seiner Regierung. Damals wurde das Steuersystem vervollkommnet, Beamtenstellen abgebaut und der Huanghe-Fluss reguliert. All dies führte zur Verbesserung der wirtschaftlichen Lage. Als er selbst regierte, hob er einige geltenen Maßnahmen auf, beförderte Eunuchen zu Beamten und schenkte den Staatsangelegenheiten keine Aufmerksamkeit mehr. Deshalb verschlimmerte sich die Lage weiter.

定陵鸟瞰
Sightseeing Dingling from the Air
Vue à vol d'oiseau du Dingling
Ein Überblick über das Dingling-Grab
Dingling visto dall'alto
Tumba Diling a vista de pájaro.
공중에서 굽어 본 정릉
定陵鳥かん

◀定陵明楼
The Soul Tower of Dingling
La Tour de la stèle du Dingling
Der Pavillon der Klarheit in der Dingling-Grabanlage
Torre della Stele nel Dingling
Pabellón Minglou de la Tumba Dingling.
정릉의 명루
定陵の明楼

明楼雪景
The Soul Tower in Snow
La Tour de la stèle après la neige
Der Pavillon der Klarheit im Schnee
Torre della Stele sotto la neve
Pabellón Minglou bajo la nieve.
명루의 설경
明楼の雪景色

定陵明楼
The Soul Tower
La Tour de la stèle du Dingling
Der Pavillon dar Klarheit des
Dingling-grabes
La Torre delle steli di Dingling
Torre de los Espiritus de
Dingling
정릉의 명루
定陵の明楼

宝顶

位于明楼之后，是帝王陵墓的主要标志，四周设有围墙，下面为地下宫殿。

The Precious Top

The precious top is always located behind the Soul Tower, and is symbol of imperial mausoleum. It is enclosed by walls, and beneath is the Underground Palace.

Le tumulus

Situé derrière la Tour de la stèle, le tumulus est l'emblème principal du mausolée impérial. Entouré d'un mur d'enceinte, il renferme un palais souterrain.

Der Grabhügel

Er liegt hinter dem Pavillon der Klarheit und ist das wichtigste Merkmal des Grabes. Eine Mauer umgibt den Grabhügel, unter dem sich der unterirdische Palast befindet.

Baoding

Situato dietro la Torre della Stele, Baoding è il simbolo principale del tumulo imperiale. Da questo si diparte un sentiero verso l'entrata della tomba ipogeica.

Baoding (Techo del Tesoro)

Se trata de uno de los símbolos de las tumbas soberanas que se encuentra detrás del Pabellón Minglou y está protegido por un muro en sus cuatro lados. Debajo de él hay un palacio subterráneo.

보정

명루의 뒤에 위치, 제왕 능묘의 주요 표지이다. 사위에 담장이 둘러져 있고 밑에는 지하궁전이 있다.

宝頂

明楼の裏側にある帝王廟墓の目印で、周囲に壁がなく、すぐ下の地下は「地宮」と呼ばれる墓室にあたる。

①万历皇帝画像

万历皇帝朱翊钧，10 岁即位，在位 48 年，是明朝享国最久的帝王，也是明朝最为荒淫奢侈的皇帝。亲政之后，为满足自己的挥霍和享乐，派太监四处搜刮民脂。他非常关心自己陵寝的修建，故定陵的规模很大。

Portrait of Emperor Wanli

The Emperor Wanli took the throne at the age of 10, and had ruled the country for 48 years. His reign period was the longest in the Ming Dynasty, and he was the most debauched and luxury emperor of the Ming Dynasty. He imposed high taxes on civilians and extorted property from his people for his luxury life. He paid much attention to his own mausoleum, so the scale of the Dingling was quite big.

Le portrait de l'empereur Shenzong

Zhu Yujun, empereur Shenzong, accéda au trône dès l'âge de 10 ans et régna pendant 48 ans. Ce fut le souverain qui resta le plus longtemps au pouvoir mais aussi le plus sybarite de la dynastie des Ming. S'occupant personnellement des affaires d'Etat et afin de pouvoir continuer à mener une vie de débauche, il envoya des eunuques pressurer le peuple dans toutes les régions du pays. Il veillait attentivement à la construction de son tombeau, c'est pourquoi le Dingling est d'une dimension considérable.

만력제의 초상화

만력제 주익균은 10 살 때에 즉위하여 48 년동안 재위했으므로 명대에서 제일 오래 집정한 제왕이었으나 또한 제일 부화방탕한 황제였다. 친정을 하면서부터 그는 자기의 사치와 향락을 추구해 사처에 내시들을 파견하여 백성들의 재물을 수탈해 왔고 자기의 능침 축조공사에도 커다란 관심을 보였다. 따라서 정릉은 규모가 매우 크다.

Das Porträt des Kaisers Wanli

Kaiser Wanli Zhu Yijun bestieg im Alter von 10 Jahren den Thron und regierte 48 Jahre lang, die längste Regierungszeit im Vergleich zu allen weiteren Kaisern. Er war der verkommenste und verschwenderischste Kaiser der Ming-Dynastie. Er ließ Eunuchen die Reichtümer des Volkes plündern. Er kümmerte sich persönlich um den Bau seines Grabes, und deswegen ist sein Grab Dingling sehr groß.

Ritratto dell'imperatore Wanli

Zhu Yijun, imperatore Wanli, salì al trono a 10 anni, e regnò per 48 anni. Fu l'imperatore che regnò più a lungo e il più corrotto della dinastia Ming. Per soddisfare la sua insaziabile sete di lusso e divertimento, incaricò i suoi eunuchi di estorcere denaro alla popolazione. Zhu Yijun si occupò molto della costruzione del suo mausoleo, che è più grandi di altri.

Retrato del emperador Wan Li

A los 10 años, Zhu Yijun subió al trono. Su reinado duró 48 años, siendo el emperador que más tiempo reinó de entre los soberanos de la dinastía Ming. Fue, además, el más libertino y el más despilfarrador. Cuando llegó a la mayoría de edad, asumió el control del gobierno. Para llevar una vida lujosa, mandó a sus eunucos despojar al pueblo de todos sus bienes. Debido a su gran preocupación por la construcción de su propio sepulcro, las dimensiones de la Tumba Diling resultan muy grandes.

万曆帝画像

万曆帝朱翊鈞は 10 歳のときに君臨し、48 年間在位し、明代では在位時間が最も長い皇帝だけでなく、一番すさんだ生活を過ごした皇帝でもある。成年になって自ら政治を行うようになると、宦官を派遣して人民の膏血をこの手あの手で搾り取る。自分の廟墓の修築に大変気にしたため、彼の廟墓・定陵は規模が大きい。

②孝端皇后画像
The Portrait of Empress Xiaoduan
Le portrait de l'impératrice Xiao Duan
Das Porträt von Kaiserin Xiaoduan
Ritratto dell'imperatrice Xiaoduan
Retrato de la emperatriz Xiao Duan.
효단황후의 초상화
孝端皇后の画像

③孝靖皇后画像
The Portrait of Empress Xiaojing
Le portrait de l'impératrice Xiao Jing
Das Porträt von Kaiserin Xiaoduan
Ritratto dell'imperatrice Xiaojing
Retratro de la emperatriz Xiao Jing.
효정황후의 초상화
孝靖皇后の画像

定陵地宫

由前、中、后、左、右五座高大的殿堂组成，前后长87.34米，左右横跨47.28米，总面积1195平方米。深27米，通体为砖石结构，拱券式建筑。建成至今400年，仍岿然不动。

Tomba ipogeica nel Dingling

La tomba copre una superficie complessiva di 1.195 mq, ed è composta di cinque sale: posteriore, anteriore, centrale, laterale sinistra e laterale destra. La tomba ipogeica è alta 27 m, con una struttura in pietre e mattoni. Fu costruita 400 anni fa.

정릉의 지하궁전

전·중·후·좌·우 5개의 높고 큰 전당으로 구성되었으며 총 면적 1,195㎡, 깊이 27m, 벽돌과 돌로 건조한 아치형 건축물이다. 건조한지 이미 400년이 되었지만 여전히 끄떡없다.

Underground Palace

The Underground Palace is composed of five joint halls in the front, middle, back, left and right respectively, all built with marble. The palace is 27 meters below the surface, and the coverage of it is 1195 square meters.

Der unterirdische Palast des Dingling-Grabes

Der Palast besteht aus fünf Sälen — dem vorderen, mittleren und hinteren, und neben dem mittleren Saal befinden sich noch zwei Seitensäle, die durch Korridore mit ihm verbunden sind — mit einer Gesamtfläche von 1195 qm. Das aus Stein und Ziegeln konstruierte Deckengewölbe liegt 27 m un

定陵の地下宮殿（墓室）

前、中、後、左、右の5つの高いホールからなり、総面積は 平方㍍で、深さは27㍍、全体はレンガと石構造で、アーチ形の天井を持つ。完成してから400年過ぎだが、今なお完璧そのままである。

Le palais souterrain du Dingling

Situé à 27 m au-dessous de la surface du sol, le palais souterrain comprend cinq salles antérieures, centrale, postérieure, de gauche et de droite voûtées en pierre, totalisant 1 195 m² de superficie. Quatre cents ans se sont écoulés depuis sa construction, mais le palais reste en bon état.

Palacio Subterráneo de la Tumba Dingling

Está situado a 27 m. bajo la superficie del suelo. Se trata de una estructura realizada en piedra y ladrillos con una superficie de 1.195 metros cuadrados. Está compuesto por cinco salas: la sala anterior, la sala central, la sala posterior, la sala de la izquierda y la sala de la derecha. A pesar de sus 400 años de existencia, semantiene todavía en pie.

①金刚墙

位于地宫入口处。下由四层条石作为墙基，上由56层城墙垒砌，通高8.8米，呈"人"字形。

Jingang Wall

Jingang Wall (the Diamond Wall) is the entrance of the Underground Palace, and is 8.8 meters in height. Taking four huge stone as the base, the Jingang Wall was solidly built with 56 tiers of bricks, in shape of character "人", which means human being in Chinese.

Les murs du diamant (Jinggangqiang)

Ces murs sont à l'entrée du palais souterrain. Reposant sur les fondations constituées de quatre couches de pierres rectangulaires, ils sont maçonnés en 56 couches de briques et mesurent 8,8 m de hauteur. L'ensemble est en forme de "V" renversé.

Die Jingang-Mauer

Sie liegt am Eingang des unterirdischen Palastes. Die Steinbänke in vier Schichten bilden die Grundlage der Mauer in 56 Schichten mit einer Gesamthöhe von 8,8 m.

Parete di diamante

La Parete di diamante è situata all'entrata della tomba ipogeica. È composta di quattro piastre rettangolari in pietra per le fondamenta e una parete alta 8,8 m..

Muro Jingang

Se levanta a la entrada del Palacio Subterráneo y presentan una forma cuadrangular. Tiene en total 60 capas, cuatro de losas que hacen las veces de cimientos y otras 56 capas de ladrillos que corresponden a la muralla de la ciudad propiamente dicha, alcanzando 8,8m de altura.

금강벽

지하궁전 입구에 세워져 있다. 밑 부분은 연석으로 4층 기초를 깔았고 그 위에 벽돌로 56층의 성벽을 쌓아 올렸는데 총 높이 8.8m로 "인(人)" 자형을 이루었다.

金剛壁

墓室・「地宮」の入り口にあたり、4層に畳んだ長石の基礎に56層のレンガを積み重ねてつくられ、高さは8.8㍍で、「人」字形を呈する。

②地宫发掘现场
The Scene of Excavation of the Underground Palace
Site de fouilles du palais souterrain
Die Begräbnisstätte des Dingling-Grabes
Gli scavi della tomba ipogeica
Excavación del Palacio Subterráneo.
지하궁전의 발굴 현장
「地宮」の発掘現場

地下宫殿
The Underground Palace
Le palais souterrain
Im unterirdischen Palast
Palazzo sotterraneo
Palacio Subterráneo.
지하궁전
地下宮殿(墓室)

地宫东西配殿

设有棺床，棺床正中有一个长方形孔穴，内填黄土，称"金井"，是棺椁入葬后用以接地气的，但棺床上是空的。

Left and Right Annex Chamber

The Left and Right Annex Chamber are two symmetrical structures. In the middle of each chamber close to the wall there is a coffin platform, which is framed with white marble. Right in the center, is a square hole filled with loess linking the coffin and the ground. It is known as "the Gold Well".

Les salles latérales

De chaque côté de la salle centrale, à l'est et à l'ouest, se trouve une salle latérale abritant une estrade affectée aux cercueils. Au plein milieu de cette estrade fut creusé un trou rectangulaire contenant du sol jaunâtre, appelé "puits d'or". Mais, il n'y a pas de cercueil sur cette estrade.

Im Seitensaal des unterirdischen Palastes

Im östlichen und westlichen Seitensaal stehen leere Sargsockel, in deren Mitte sich ein viereckiges Loch befindet, das man mit Löss füllte. Man nennt diese Löcher „Goldene Brunnen".

Sala laterale del palazzo sotterraneo

In ognuna delle sale laterali sinistra e destra, si trova una piattaforma per la bara con al centro un'apertura rettangolare destinata a essere riempita di terra, chiamata "pozzo d'Oro". Nella piattaforma non è stato rinvenuto nulla.

Sala lateral del palacio subterráneo

En cada una de las salas laterales de la derecha e izquierda, se encuentra una plataforma para la ubicación del ataúd rodeada por un marco de mármol blanco. Al centro hay un rectángulo que solía rellenarse con tierra, conocido como el "Pozo de Oro".

지하궁전의 곁채

지하궁전 동서 양컨에는 곁채가 한채씩 있다. 곁채에 설치된 관대의 복판에는 장방형 구멍이 하나 있고 구멍에는 황토를 가득 채워놓았다. 그것을 "금정"이라부르며 관대위에는 아무 것도 없다.

「地宮」の配殿（脇殿）

「地宮」の東西両側にはそれぞれ侉間の配殿があり、殿内には柩を安置するための棺床が設けられてある。棺床の真ん中にある、黄土が詰まった長方形の穴は「金井」と呼ばれる。発掘当時は、棺床の上には何も置いていなかった。

①地宫中殿

是个长方形的石室。殿内摆放了3个汉白玉雕成的宝座，扶手上雕龙头的是皇帝宝座，雕凤头的是皇后宝座。座前设有琉璃五供和青花云龙大瓷缸，缸的高度和口径均为70厘米。缸内贮灯油，叫做"长明灯"，象征统治长久。玄宫封闭时点燃，后因缺氧而熄灭。

Middle Chamber

The Middle Chamber is the place to display sacrificial utensils. There are three marble thrones in the front of it. The middle one with dragon designs on the arms was for Emperor Wanli, and the other two with phoenix designs were for his Empresses. In front of each throne are five glazed pottery altar pieces: an incense burner, two candlesticks and two beakers, and a blue-and-white porcelain jar. The jar called "the Everlasting Lamp", lit when the coffins were brought in. After the tomb was covered up, the lamps went out due to lack of oxygen.

La salle centrale

C'est une pièce rectangulaire dans laquelle sont disposés trois autels en marbre blanc sculpté. Celui orné de têtes de dragon sur les accoudoirs était réservé à l'empereur, tandis que ceux qui portent des têtes de phénix étaient destinés aux impératrices. Devant les autels sont posés les cinq objets rituels en céramique vernissée et une grande jarre de porcelaine ornée de motifs bleus représentant des nuages et des dragons. De 70 cm de hauteur et de diamètre, cette jarre qui contenait de l'huile servait de "lampe éternelle" devant éclairer en permanence pour symboliser l'éternité du règne impérial. En fait, par manque d'oxygène, cette lampe s'éteignit rapidement après la fermeture du tombeau.

Der mittlere Saal des unterirdischen Palastes

Im rechteckigen mittleren Saal gibt es drei Throne aus weißem Marmor, einer davon mit gemeißelten Drachenköpfen als Armlehnen für Kaiser, und weitere zwei mit gemeißelten Phönixköpfen für die Kaiserin. Vor den Thronen stehen eine Steinbank mit fünf glasierten Opfergeräten und ein blau-weiß getönter Porzellantopf mit einem Öffnungsdurchmesser und einer Höhe von jeweis 7 cm. Der Topf war einst mit Öl gefüllt und diente als „Ewiges Licht „, Symbol der Ewigkeit der Dynastie.

Sala centrale del palazzo sotterraneo

Nella sala centrale, dietro a una recinzione si osservano tre troni in marmo, davanti ai quali sono collocati diversi piccoli altari. Il trono posteriore era destinato ad alimentare la luce perpetua, che certo non arse a lungo, data la mancanza di ossigeno. Il trono in marmo con il rilievo della testa di drago era destinato all'imperatore, mentre quello con il rilievo della fenice, all'imperatrice.

Sala Central del Palacio Subterráneo

Es una cámara pétrea con forma rectangular. En su interior hay tres tronos imperiales de mármol blanco. El que tiene los brazos con una cabeza de dragón tallada es para el emperador y los demás, con los brazos tallados con la cabeza de un ave fénix, son para las emperatrices. Delante de estos asientos está el juego de las Cinco Ofrendas Barnizadas y una par de tinajas de porcelana blanca con motivos azules de nubes y dragones. Con 70 cm de alto y de diámetro respectivamente, estos recipientes están llenos de aceite de lámpara, de ahí viene el nombre de "Lamparilla", símbolo de la "eternidad de la dominación imperial". En el momento en que se cerró la entrada de la Sala Central las lámparas se encendieron, sin embargo, debido la falta de oxígeno, se extinguieron al momento.

①

②地宫中殿原状
The Original State of the Middle Chamber
L'aspect initial de la salle centrale lors de fouilles
Der frisch geöffnete mittle Saal des unterirdischen Palastes
Sala laterale del palazzo sotterraneo in origine
Estado original de la Sala Central del Palacio Subterráneo.
지하궁전 중전의 원래 상태
発掘当時の「地宮」中殿の様子

지하궁전의 중전

중전은 장방형의 석실이다. 전내에는 3개의 한백옥으로 조각한 보좌가 놓여 있는데 보좌의 팔걸이에 용두를 조각한 것은 황제의 보좌이고 봉두를 조각한 것은 황후의 보좌이다. 보좌 앞에는 유리오공과 청화운룡의 큰 자기 항아리가 놓여 있는데 항아리의 높이와 구경은 모두 70cm이다. 항아리에는 등유를 가득 채우고 "장명등"이라 불렸는데 장구한 통치를 상징한 것이다. 현궁을 봉폐할 때에는 불을 밝혀 놓았지만 후에 산소가 부족되어 불은 꺼져버렸다고 한다.

「地宮」の中殿

「地宮」の中殿は長方形の石室で、殿内に置いている3つの漢白玉石の宝座のうち、手すりに竜の頭を刻した1つは皇帝の玉座で、鳳凰の頭を刻した1つは皇后の座になっている。座前には瑠璃製の祭器と雲竜模様の青染めの大甕が置いてある。甕は高さも口径も70㌢で、甕の中には油が注いであり、長夜灯とよばれるもので、長く支配していくことの象徴である。「地宮」が密封された間もないときは、この長夜灯は点されているが、後に酸素不足のために消えた。

① 地宫后殿

是地宫的主要部分。在棺床上置放着三口棺椁，中间是朱翊钧的灵柩，左右两边分别是孝端、孝靖两个皇后的。两侧有26个陪葬箱子以及散放的玉石和青花瓷瓶等。

Rear Chamber

The Rear Chamber is the main body of the palace. On the platform are placed three coffins, the middle one was the Emperor Wanli's, and the other two were for his Wives. Around three coffins are 26 red-lacquered chests containing the funerary objects and some pieces of jade.

La salle postérieure

La salle postérieure est la partie principale du palais souterrain. Sur une estrade reposent trois cercueils dont celui au centre est occupé par les dépouilles de l'empereur Shenzong et ceux des deux côtés renferment celles des impératrices Xiao Duan et Xiao Jing. Des deux côtés de la salle sont alignés 26 coffres contenant des objets funéraires et étalés des objets en jade et des vases aux motifs bleus.

Der hintere Saal des unterirdischen Palastes

In diesem wichtigsten Teil des Palastes stehen auf einem Sockel die drei Särge für Kaiser Zhu Yijun (Mitte) und die Kaiserinnen Xiaoduan und Xiaojing (links und rechts). Auf beiden Seiten des Sockels sind 26 Holzkoffer mit Edelsteinen, blau-weiß getönte Porzellanvasen und anderen Grabbeigaben, die heute zum Teil im oberirdischen Museum gezeigt worden.

Sala posteriore del palazzo sotterraneo

La sala posteriore è parte importante del palazzo sotterraneo. Sopra una pedana si trovano i tre sarcofagi. Quello al centro era destinato ad accogliere le spoglie dell'imperatore, Zhu Yijun, gli altri due, a sinistra e a desta, quelle delle imperatrici. Sulla pedana si trovano 26 cassette, vasi decorati con immagini di fiori blu e pietre preziose.

Sala Posterior del Palacio Subterráneo

Es la parte principal del Palacio Subterráneo. Sobre una plataforma descasan tres ataúdes. El que está en medio pertenece al emperador Zhu Yijun y los que están a la izquierda y a la derecha son respectivamente de la emperatriz Xiao Duan y de Xiao Jing. A los dos lados de la plataforma hay 26 cofres funerarios, varias piezas de jade y algunas vasijas de porcelana de color azul sobre blanco.

지하궁전의 후전

후궁은 지하궁전의 주요 부분이다. 관대위에 3개의 관곽이 놓여 있는데 가운데 것은 주익균의 영구이고 좌우 양쪽의 것은 효단과 효정 두 황후의 영구이다. 또 그 양쪽에는 26개의 순장 상자 및 옥석과 청화자기병 등이 놓여 있다.

「地宮」の後殿

後殿は「地宮」の主要部分である。棺床の上に安置された3つの柩のうち、真ん中は朱翊鈞帝の霊柩で、左右両側はそれぞれ孝端皇后と孝靖皇后の霊柩である。両側には副葬品としてまた26の箱と一部の玉石や青染め磁器瓶が雑然と置かれていた。

②地宫后殿原状
The Original State of the Rear Chamber
Etat original du palais souterrain
Der frisch geöffnete hintere Saal des unterirdischen Palastes
Sala posteriore del palazzo sotterraneo in origine
Corona de oro
지하궁전 후전의 원래 상태
発掘当時の「地宮」後殿の様子

龙袍
Imperial Robe
Veste ornée de cent enfants
Kaiserkeeidung
Abito imperiale
Túnica imperial
용포
竜袍（竜の模様を刺繍した皇帝の長着）

定陵珍宝

中华人民共和国成立后，经国务院批准，于1956年正式发掘了定陵。定陵是中国第一个被发掘的皇帝陵墓。地下宫殿总面积1195平方米，全部为拱券式石结构，墓室由5座殿堂联成。出土各类文物三千余件。其中以帝后生前宫中使用的日用器物和服饰居多。出土的金冠和凤冠尤引人关注。制作精美的金酒壶、玉爵、玉碗和青花瓷、三彩瓷炉等都是不可多得的珍品，反映了当时的最高工艺水平。

Treasures in Dingling

Approved by the State council, the excavation of the Dingling started in 1956. The Dingling was the firstly imperial mausoleum excavated by Chinese Government, and about 3,000 burial objects were unearthed in it. Many of the excavated articles were daily commodities, dress and personal adornment of emperor's and empress's, and really reflect the highest level of technology and workmanship at that time.

Les trésors du Dingling

Avec l'autorisation du Conseil des affaires d'Etat, le Dingling a été fouillé en 1956. C'est le premier mausolée impérial à être fouillé en Chine. Le palais souterrain comprend 5 salles voûtées en pierre et reliées entre elles par des passages, totalisant une superficie de 1 195 m². Y ont été découverts plus de 3 000 objets funéraires dont une bonne partie sont les articles de tout genre, les vêtements et les parures utilisés ou portés par l'empereur et ses épouses de leur vivant. La couronne d'or et la couronne de phénix attirent le plus l'attention des gens. Le pichet de vin en or, la coupe à vin de jade, les bols de jade, les porcelaine « bleu et blanc » et le brûle-parfum en porcelaine trichrome tous finement travaillés sont des trésors rares et représentent le plus haut niveau technique atteint à l'époque.

Grabbeigaben des Dingling-Grabes

Dingling ist das grab des 13. Ming-Kaisers Zhu Yijun und seiner beiden Frauen. Der unterirdische Palast des Grabes wurde im Jahre 1956 mit der Genehmigung des Staatsrates der VR geöffnet. Der unterirdische Palast besteht aus fünf Sälen mit einer Fläche von 1195 Quadratmetern. Sie sind aus Stein erbaut. Die Decken sind gewölbt. Zu den 3000 Grabbeigaben gehören u.a. goldene Teller, Schüsseln, Wannen, Töpfe und Gold-und Silberbaren sowie Porzellanwaren. Die Goldkrone für den Kaiser und Phöniskronen für die Kaiserinnen sind besonders wertvoll.

百子衣
Embroidered Robe with the "Hundred Boys" Pattern
Veste ornée de cent enfants
Baizi-Frauenkleidung
Un abito ricamato con cento bambini
Chaqueta bordada con el dibujo de los "Cien Niños".
백자의복
百子衣

I tesori di Dingling

Approvati dal Consiglio di Stato, i lavori di scavo di Dingling iniziarono nel 1956.
Dingling fu il primo mausoleo imperiale i cui lavori di scavo furono fatti dal Governo cinese.
Furono rinvenuti circa 3.000 oggetti del corredo funebre. Essi riflettono perfettamente l'alto livello delle tecniche d'artigianato raggiunto a quell'epoca.

Los tesoros de Dingling

Aprobadas por el Consejo de Estado, las excavaciones en la tumba Dingling comenzaron el 1956. Se trató, pues, del primer mausoleo imperial excavado por el Gobierno chino. Se rescataron más de 3.000 objetos, muchos de los cuales eran de uso cotidiano, vestidos y adornos usados por el emperador y la emperatriz. Nos muestan la alta calidad de las técnicas artesanales de la época.

정릉의 진보

중화인민공화국이 창건된 후 국무원의 비준을 거쳐 1956년 정릉을 공식 발굴했다. 정릉은 중국에서 처음으로 발굴된 제왕 능묘이다. 지하궁전의 총 면적은 1,195㎡, 모두가 아치형 석 조구조로 되었고 묘실은 5개의 전당으로 이어졌다. 이곳에서 출토된 문화재는 무려 3,000여 점에 달한 그중에는 제후들이 생전에 궁중에서 사용했던 일용 기물과 복식이 많다. 출토 된 금관과 봉관은 달리 사람들의 흥미를 끈다. 제작이 정미한 금술주전자· 옥잔· 옥사 발· 청화자기· 삼채자기화로 등은 모두 보기 드문 진품으로 당시의 최고 공예수준을 보여준다.

定陵の珍宝

中華人民共和国成立後、国務院の許可を経て、定陵の発掘は1956年に正式に始まった。定陵はこれで中国で初めて発掘された帝王の陵墓となった。地下宮殿（墓室）の総面積は1195平方㍍に上り、全てはアーチ型の石構造で、相つないだ5つの室からなっている。発掘を経て3000点あまりの文物が出土され、なかでも皇帝や皇后の日常用品や服飾が多く、うち皇帝の金冠と皇后の鳳冠はことに人々の注目を引いた。ほかに金杯、玉碗、青花磁器、三彩磁炉なども世に2つとない珍しいもので、当時の製作工芸の高い水準を示している。

金冠

（本名翼善冠）是明朝皇帝的常服冠戴，通高24厘米，重826克。全部用金丝编制而成，上饰二龙戏珠，造型生动，制作精良，堪称国宝。

Golden Crown

The Golden Crown for emperor is woven with extremely thin gold wire. It is 24 centimeters in height and 826 grams in weight. The ornament on the top is of two dragons playing with a pearl. It is the national treasure.

La couronne d'or

La couronne d'or est aussi appelée couronne Yishan. C'était le chapeau ordinaire de l'empereur des Ming. De 24 cm de haut et pesant 826 g, elle est faite en filigrane d'or incrusté de deux dragons se disputant une perle. Finement travaillée, elle est digne d'être un trésor national.

Die Goldkrone des Kaisers

Die Goldkrone hat eine Gesamthöhe von 24 mm und ein Gewicht von 826 g. Es handelt sich um eine Goldfiligranarbeit mit zwei Drachen.

Corona in filigrana d'oro

La corona in filigrana d'oro, alta 24 cm e pesante 826 grammi, ornata con due draghi intenti a giocare con una perla serviva all'imperatore nella vita di corte.

Corona de oro

Este tipo de corona la llevaba puesta con frecuencia un soberano de la dinastía Ming. Mide 24 cm de alto y pesa 826 gramos. Trenzada con hilos de oro muy finos, está adornada con dos dragones disputándose una perla. Hecha con esmero, está considerada como uno de los tesoros nacionales.

금관

금관의 본명은 익선관이며 명대 황제들이 흔히 쓰던 것으로 높이 24cm, 두께 826g 이다. 금실로 엮어 만들고 그 위에 구슬을 희롱하는 두 마리의 용을 장식해 놓았는데 조형이 생동하고 제작이 정교하여 국보에 속한다.

金冠

金冠は本名を翼善冠と言い、明代皇帝が常時にかぶる冠である。高さは24㌢で、重さは826㌘。金の糸を編んでつくられ、上部は球を戯れる2匹の竜で飾られ、製作は精巧を極め、国宝の名に恥じない。

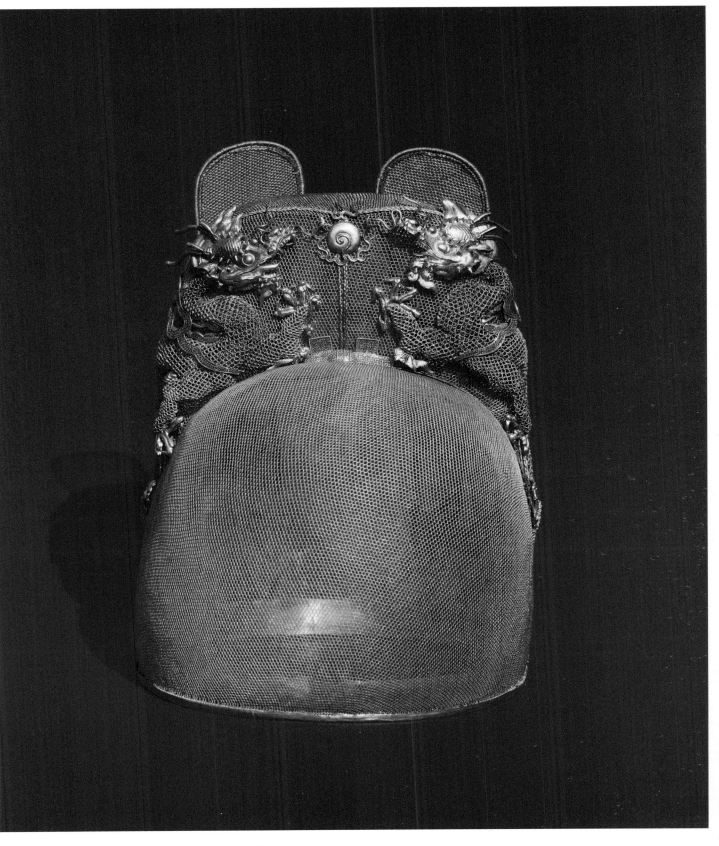

凤冠

　　为皇后出席大典时所戴，共出土四顶。其中最重的一项重2905克，镶有5449颗珍珠和128块宝石。

Phoenix Crowns

The Empresses on great ceremonies wore the Phoenix Crowns. There were four Phoenix Crowns were unearthed altogether. The heaviest one is 2905 grams in weight, and has over 5000 pearls and more than 100 gems of different colors.

La couronne de phénix

La couronne de phénix était portée par l'impératrice lors des grandes cérémonies. Les archéologues découvrirent en tout quatre couronnes de phénix dont la plus grande est incrustée de 5 449 perles et de 128 morceaux de jade, pesant 2 905 g.

Die Kronen der Kaiserinnen

Die vier im Grab gefundenen Kronen waren Insignien der Kaiserinnen. Die schwerste davon wiegt 2905 g und ist mit 5449 Perlen und 128 Juwelen besetzt.

Corona blu della Fenice

La corona blu della Fenice era usata dall'imperatrice in occasione di grandi cerimonie. Nella tomba ne sono state rinvenute quattro. La più grande, che reca incastonate 5.449 perle e 128 pietre preziose, pesa 2.905 grammi.

Coronas de Ave Fénix

Fueron encontradas cuatro coronas de este tipo. Las emperatrices las llevaban puestas cuando asistían a las ceremonias imperiales. De entre estas coronas, la más grande pesa 2.905 gramos y lleva incrustadas 5.449 perlas y 128 piedras preciosas.

봉관

　　황후가 성전에 출석할 때 쓰던 것으로 4개가 출토되었다. 그중 가장 무거운 봉관은 무게가 2905g이고 5449 개의 진주와 128 개의 보석이 상감되어 있다.

鳳冠（鳳凰の形をした皇后の冠）

　　皇后が盛大な式典に出席するときに着用するもので、合わせて4点を出土している。最も重い1つは2905㌘に達し、5449粒の真珠と128粒の宝石がつづられている。

①②定陵珍宝
Treasures in Dingling
Trésors exhumés du Dingling
Grabbeigaben im Dingling-Grab
Tesori nella tomba Dingling
Tesoros de la tumba Dingling.
정릉의 진귀한 보물
定陵の珍宝

庆陵

庆陵在长陵西约1.5公里的黄土岭下。葬有光宗朱常洛及其后妃，为四人合葬陵。

朱常洛（1582年--1620年），年号泰昌，庙号光宗，神宗长子，19岁时立为皇太子，万历四十八年七月父皇神宗去世，朱常洛即位，仅一个月，便因病卒于乾清宫，年38岁。

光宗帝为神宗王恭妃所生，后又因神宗另一位郑妃生子常洵，为立哪位太子朝臣争论达十五年之久。1601年才立常洛为太子。

庆陵建筑仅存遗址，但石砌水道尚好，这是庆陵独特之处。

Qingling

Qingling è il mausoleo dell'imperatore Guangzong, Zhu Changluo.

Zhu Changluo (1582-1620), il cui regno prese il nome di Taichang, regnò col nome di Guangzong. Zhu Changluo, primogenito dell'imperatore Shenzong, salì al trono nel 1602 per morire un mese dopo nel Palazzo della Purezza Celeste di malattia all'età di 38 anni.

Qingling

The Qingling was the tomb of Emperor Zhu Changluo.

Zhu Changluo (1582-1620) had the reign title of Taichang, and his posthumous title was Guangzong. He was the elder son of Emperor Zhu Yijun. However, his father loved one of his brothers much more. All court officials were involved in the quarrelling about choosing the Crown Prince for almost 15 years. Zhu Changluo died at the age of 38, one month later after his enthroning.

Tumba Qingling

Pertenece al emperador Guang Zong (Zhu Changluo, 1582—1620).

Su reinado se conoce bajo el título de Tai Chang y su nombre póstumo es Guang Zong. Fue el primogénito de Shen Zong. En 1602 accedió al trono. Murió por una enfermedad a los 38 años en el Palacio Qianqing. Su reinado tan sólo duró un mes.

Le tombeau Qingling

Le Qingling est le tombeau de Zhu Changluo, empereur Guangzong des Ming.

Zhu Changluo, (1582-1620), était le fils aîné de l'empereur Shenzong. En 1602, il succéda à la couronne pour devenir l'empereur Guangzong, connu aussi sous le règne Taichang. Un mois après, il mourut de maladie dans le palais de la Pureté céleste. Il n'avait alors que 38 ans.

경릉

경릉은 광종 주상락의 능묘이다.

주상락(1582-1620년)은 연호 태창, 시호 광종으로 신종제의 장남이다. 1602년에 주상락은 즉위한지 한달만에 병으로 건청궁에서 38살을 일기로 별세하였다.

Das Qingling-Grab

Es ist das Grab vom Kaiser Guangzong Zhu Changluo.

Zhu Changluo (1582 — 1620), die Bezeichnung für seine Regierungszeit ist Taichang und sein posthum verliehener Name Guangzong, kam er als erster Sohn des Kaisers Shenzong auf den Thron und starb einen Monat danach im Qianqing-Palast in der Verbotenen Stadt an einer Krankheit im Alter von 38 Jahren.

慶陵

光宗帝朱常洛の廟墓。

朱常洛（1582 — 1620年）、年号は泰昌、廟号は光宗、神宗帝の長男で、1602年即位した1ヶ月後に乾清宮にて病没、年は38歳。

庆陵陵门
The Gate of Qingling
La porte du tombeau Qingling
Der Eingang des Qingling-Grabes
Ingresso del mausoleo Qingling
Entrada de la Tumba Qingling.
경릉의 능문
慶陵の陵門

三座门
The Triple Gate of the Qingling
La Porte à trois entrées
Das Sanzuomen-Tor (Die Drei Tore)
Tre Porte
Puerta Sanzuo.
삼좌문
三座門

明楼及二柱门
The Soul Tower and Double-Pillar Gate of Qingling
La Tour de la stèle et la porte Erzhu
Das Tor mit ewei Säulen
La Torre delle stele e la porta con due pilastri
Pabellón Luminoso y Puerta Erzhu.
명루 및 이주문
明楼と二柱門

德陵

朱由校（1605年–1627年），年号天启，庙号熹宗，光宗第一子，15岁时即位。在位7年，病卒时年仅23岁。

熹宗即位后，由乳母客氏和宦官魏忠贤把持朝政，政治黑暗。此时，明王朝已处于风雨飘摇之中。熹宗更是不问国事，只知嬉戏。明王朝面临末日。

Deling

The Deling was the tomb of Emperor Zhu Youxiao.

Zhu Youxiao's (1605-1627) reign title was Tianqi, and his posthumous title was Xizong. When he took the throne at the age of 15, he paid no attention to the state affairs, and his wet nurse Keshi and Wei Zhongxian, an eunuch, were in power actually. The court at that time was in a mess. Emperor Zhu Youxiao died 7 years later after his enthroning.

Le tombeau Deling

Le Deling est le tombeau de Zhu Youxiao, empereur Xizong des Ming.

Zhu Youxiao (1605-1627), empereur Xizong, règne Tianqi. Monté sur le trône à l'âge de 15 ans, il régna pendant 7 ans. Lorsqu'il mourut de maladie, il n'avait que 23 ans. Après son avènement au trône, ne sachant que s'amuser, il ne s'intéressa pas aux affaires d'Etat. Sa nourrice Ke et l'eunuque Wei Zhongxian accaparèrent alors le pouvoir. Les forces ténébreuses dictaient leur loi et la dynastie était à l'agonie.

Das Deling-Grab

Das ist das Grab des Kaisers Xizong Zhu Youxiao.

Zhu Youxiao (1605 — 1627), die Bezeichnung für die Regierungszeit ist Tianqi und sein posthum verliehener Name Xizong, kam im Alter von 15 Jahren auf den Thron und starb 7 Jahren später an einer Krankheit im Alter von 22 Jahren. In seiner Regierungszeit ergab sich der Kaiser in Spielen und vernachlässigte seine Pflicht in der Regelung der Staatsangelegenheiten. Das finstere Regime unter Kontrolle seiner Mutter Ke und des Eunuchen Wei Zhongxian führte die Dynastie zum Untergang.

Deling

Deling è il mausoleo dell'imperatore Xizong, Zhu Youxiao.

Zhu Youxiao (1605-1627), regnò durante il regno di Tianqi, con il nome di Xizong. Salì al trono a 15 anni e morì a 23 anni dopo aver regnato per sette anni. Da imperatore, Xizong badò solo a divertirsi trascurando gli affari statali che furono trattati dalla balia Keshi e dall'eunuco Wei Zhongxian. L'impero entrò in un periodo buio e la dinastia Ming si avviò alla decadenza.

Tumba Deling

Está ocupada por el emperador Xi Zong (Zhu Youxiao, 1605—1627).

El título de su reinado fue Tian Qi y su nombre póstumo es Xi Zong. A los 15 años asumió el trono y a los 23 años murió a causa de una enfermedad. Su reinado duró sólo siete años. En este lapso de tiempo se entregó a la diversión, sin preocuparse de los asuntos estatales. El despacho de los asuntos de la Corte lo monopolizaron su nodriza y el eunuco Wei Zhongxian. Con una política tan tenebrosa, la dinastía Ming pronto encontró su agonía.

덕릉

덕릉은 희종 주유교의 능묘이다.

주유교(1605-1627년)는 연호 천계, 시호 희종으로 15살에 등극하여 7년간 재위했다. 병으로 별세할 때는 23살밖에 안되었다. 희종은 즉위 후 작난에만 열중하고 국사를 돌보지 않아 유모 객씨와 환관 위충현이 조정을 좌우지하였는데 정치가 극도로 암담하여 명대는 막다른 골목에 직면하였다.

德陵

熹宗帝朱由校の廟墓。

朱由校（1605 – 1627年）、年号は天啓、廟号は熹宗、15歳のときに即位、在位は7年、病没時はわずか23歳。熹宗は即位後、遊び戯れるだけを知り、国政をすべて問わず、朝政は乳母の客氏と宦官魏忠賢によって牛耳られ、政治が暗黒を極め、明王朝の最期を迎えた時期である。

德陵雪景
The Deling in Snow
Das Deling après la neige
Deling-Grab im Schnee
Il mausoleo Deling sotto la neve
Mausoleo Deling bajo la nieve.
덕릉의 명루
徳陵の雪の景色

德陵明楼
The Soul Tower of Deling
La Tour de la stèle du Deling
Der Pavillon der Klarheit des Deling-Grabes
Torre della Stele nel Deling
Pabellón Luminoso de la Tumba Dingling.
덕릉의 명루
德陵の明楼

德陵全景
The Panorama of Deling
Vue panoramique du Deling
Ein Blick über das Deling-Grab
Veduta del Deling
Panorámica de la Tumba Dingling.
덕릉의 전경
德陵全景

思陵

朱由检（1610年一1644年），年号崇祯，庙号思宗，光宗第五子。天启二年（1622年）封为信王，七年（1627年）以"兄终弟及"的祖训即皇帝位。时年17岁。思宗即位后，虽然采取了一些利国利民的措施，但当时后金政权日益强大，农民起义不断，明王朝面临诸多问题，终于无法挽救明朝危亡。崇祯十七年（1644年）三月，李自成进京，朱由检吊死，活了35岁。皇后周氏自缢死。由于崇祯生前未修陵，只好葬于田妃墓中。直到清代顺治十六年（1660年），才为崇祯陵寝修了享殿三间，围墙一周，立了碑记。

Das Siling-Grab des Kaisers Chongzhen Zhu Youjian

Zhu Youjian (1610 —1644), die Bezeichnung für die Regierungszeit ist Chongzhen und sein posthum verliehener Name Sizong, der letzte Kaiser der Ming-Dynastie, bestieg 1627 den Thron.

Kaiser Sizong ergriff einige nützlichen Maßnahmen für das Land und Volk. Aber das Entstehen des nördlichen Jin-Reichs und Bauernaufstände bedrohten die Ming-Dynastie. Im März 1644 eroberten die Bauerntruppen unter der Führung von Li Zhicheng die Hauptstadt Beijing, und der Kaiser Sizong erhängte sich an einem Baum auf dem Kohlenberg. Er wurde im Grab des kaiserlichen Konkubine Tian bestattet. 1660 ließ die Qing-Regierung das Grab, eine Mauer um das Grab und einen Gedenkstein für ihn bauen.

Siling

The Siling was the tomb of Emperor Zhu Youjian.

Zhu Youjian (1610-1644), whose reign title was Chongzhen and posthumous title was Sizong, was the last emperor of the Ming Dynasty. Despite his diligence and high aspirations, Emperor Zhu Youjian couldn't save the Ming Dynasty just by himself. In 1644, a peasant uprising army led by Li Zicheng captured Beijing, Zhu Youjian hanged himself. Because he did not built tomb for himself, Zhu Youjian was buried in the tomb of the Lady Tian, an concubine of him. It was not until the Qing Dynasty moved its capital to Beijing that the Emperor Shunzhi built the stele, Xiang Hall and the enclosing wall for Emperor Zhu Youjian.

Siling

Siling è il mausoleo dell'imperatore Sizong, Zhou Youjian.

Zhu Youjian (1610-1644) fu imperatore del regno di Chongzhen con il nome di Sizong. Salito al trono nel 1627, fu l'ultimo imperatore della dinastia Ming.

L'imperatore Sizong prese una serie misure favorevoli allo stato e alla popolazione. La forza dei Jin posteriori e le continue insurrezioni contadine, causarono il crollo della dinastia Ming. Nel maggio del 1644, le armate dei contadini dirette da Li Zicheng conquistarono Beijing e Sizong si impiccò. Non avendo provveduto alla costruzione del suo mausoleo in tempo, Sizong venne sepolto nella tomba della concubina Tian. Nel 1660, l'imperatore Shunzhi della dinastia Qing fece costruire una tomba circondata da mura e innalzare una stele per Chongzhen.

Le tombeau Siling

Zhu Youjian (1610-1644), empereur Sizong, règne Chongzhen. Monté en 1627 sur le trône, il fut le dernier empereur de la dynastie des Ming.

A l'époque, les Jin postérieurs du Nord étaient de plus en plus puissants et les insurrections paysannes se succédaient. Bien que l'empereur Sizong prît, après son accession au trône, des mesures en faveur de l'Etat et du peuple, il ne put redresser une situation désespérée. En mars 1644, au moment où les insurgés dirigés par Li Zicheng entraient à Beijing, il se pendit. Comme il n'avait pas fait construire de tombeau pour lui-même, ses restes furent enterrés dans le tombeau de la concubine impériale du premier rang Tian. La 16e année (1660) du règne Shunzhi de la dynastie des Qing, l'empereur fit construire une salle à trois pièces et un mur d'enceinte pour le mausolée de l'empereur Sizong et ériger une stèle portant une inscription.

사릉

주유검(1610-1644년)은 연호 숭정, 시호 사종으로서 1627년에 제위한 명대의 마지막 황제이다.

사종은 즉위 후 국가와 국민에 유리한 일부 조처를 취했지만 당시 후금의 정권이 날을 따라 강대해지고 농민봉기가 끊임없이 일어나 명대는 멸망의 운명을 면할 수 없었다. 1644년 3월 이자성(李自成)의 농민봉기군이 북경에 쳐들어오자 사종은 스스로 목을 매어 죽었다. 그는 생전에 미처 자기의 능묘를 건조하지 못했으므로 전귀비의 무덤에 합장되었다. 청대(淸代) 순치 16년(1660년)에 숭정 능침이 건조되었는데 향전 3간에 담장을 두르고 비를 새겨 세웠다.

Tumba Siling

Pertenece a Zhu Youjian (1610-1644). El título de su reinado es Chong Zhen y su nombre póstumo, Si Zong. En 1627, asumió el trono, siendo el último emperador de la dinastía Ming.

Durante su reinado adoptó una serie de políticas en bien del Estado y del pueblo, pero éstas no fueron suficientes para salvar la dinastía Ming, ya que en aquel entonces el régimen Jin se hizo cada día más poderoso y, por añadidura, las insurrecciones campesinas se sucedieron unas a otras. En marzo de 1644, al frente de su ejército de campesinos sublevados, Li Zicheng entró en Beijing y Si Zong se ahorcó de un árbol. Como no había ordenado construir su mausoleo, fue sepultado en la tumba de su concubina Tian, ya que era quien tenía la posición social más elevada. En 1660, año 16 del reinado de Sun Zhi de la dinastía Qing, se levantó un palacio para conmemorar al emperador Chong Zhen junto con una lápida en su honor.

思陵

崇禎帝朱由検の廟墓。

朱由検（1610 — 1644年）、年号は崇禎、廟号は思宗、1627年に即位した明朝最後の皇帝。

思宗帝は即位後、国と民に利益になる一部の措置を取ったが、当時の後金政権が日増しに強大し、農民蜂起がたえないため、ついに明を救うことができなかった。1644年3月、李自成の率いる農民蜂起軍が北京に攻め込んだとき、思宗帝は自ら首をつって自殺した。生前に廟墓を築造しておいていなかったため、死後、田貴妃の墓所に葬られ、清の順治16年（1660年）になってはじめて、ようやく塀で囲んだ3間の殿をもつ廟墓が建てられ、銘文を刻んだ碑が立てられた。

①思陵石五供
Stone Altar-pieces
Les cinq objets rituels de pierre du Siling
Die Steinbänke mit fünf steinernen Opfergeräten vom Siling-Grab
Altare marmoreo con cinque vasi rituali nel Siling
Las Cinco Ofrendas Pétreas de la Tumba Si.
사릉 석오공
思陵の石五供

②王承恩墓

　　王承恩，明朝末代皇帝崇祯的太监。崇祯自杀后，他贞臣卫主，在旁边自缢而死。清顺治皇帝为彰显他的忠心，为他修墓立碑。

The Grave of Wang Cheng'en

Wang Cheng'en was an eunuch of Emperor Zhu Youjian. When Zhu Youjian suicided, Wang Cheng'en hanged himself beside the Emperor. To commend his loyalty, the Emperor Shunzhi of the Qing Dynasty (1644--1991) built a grave for Wang Cheng'en just near the Siling.

Le tombeau de Wang Cheng'en

Wang Cheng'en était eunuque auprès du dernier empereur Sizong (Chongzhen) de la dynastie des Ming. Après le suicide de l'empereur, il se suicida également à côté afin de pouvoir accompagner à jamais l'âme de son maître dans l'au-delà. Pour rendre hommage à sa fidélité envers son maître, l'empereur Shunzhi de la dynastie des Qing fit construire un tombeau et ériger une stèle pour lui.

Das Grab von Wang Cheng´en

Wang Cheng´en war ein Eunuch des letzten Kaisers der Ming-Dynastie Chongzhen. Er folgte Kaiser Chongzhen in den Tod, um seine Treue zu beweisen. Zur Lobung seiner Loyalität ließ der Kaiser Shunzhi der nachfolgenden Qing-Dynastie das Grab und die Gedenktafel für ihn bauen.

Tomba di Wang Chengen

Wang Chengen fu un eunuco dell'ultimo imperatore della dinastia Ming. Alla morte di Chongzhen, Wang Chengen si impiccò, in segno di fedeltà, lui accanto alle spoglie di Chongzhen. L'imperatore Shunzhi della dinastia Qing gli fece costruire una tomba.

Tumba de Wang Cheng'en

Wang Cheng'en fue un eunuco que sirvió en la corte de Chong Zhen, último emperador de la dinastía Ming. Al suicidarse el soberano, él se ahorcó a su lado a fin de ensalzar su gran lealtad. El emperador Sun Zi de la dinastía Qing ordenó construir para él una tumba y consagrarle, además, una lápida conmemorativa.

왕승은묘

왕승은은 명대의 마지막 황제 숭정제의 환관이었다. 숭정이 자살하자 절개가 굳은 신하로서 그도 숭정의 옆에서 목을 매어 죽었다. 청대의 순치제는 그의 충심을 기리어 묘지를 만들고 비석을 세워주었다.

王承恩の墓

　　王承恩は明代のラスト・エンペラー、崇禎帝の宦官で、崇禎帝が首をつって自殺すると、彼も皇帝に従って首をつって自殺した。清の順治帝は彼の忠誠心を褒美して、彼のために墓を立てて碑を立てた。

明孝陵

是明朝开国皇帝朱元璋的陵墓。

朱元璋（1328年--1398年），濠州钟离（今安徽凤阳）人。幼年家贫，放过牛，当过寺庙和尚。1368年，在应天称帝，国号大明，年号洪武，庙号太祖。建国后，实行与民安息政策，抑制豪富，惩治贪官，使社会经济得到恢复和发展。

洪武帝陵墓坐落在南京东郊紫金山南麓独龙阜玩珠峰下。明朝14个皇帝中只有朱元璋葬在南京，而且，是明代帝陵中规模最大的一个。但大多数建筑毁于战火。如今，碑亭中的石碑，是现存于南京附近最大的一块明代碑刻。这块碑名曰"大明孝陵神功圣德碑"，碑文叙述了朱元璋的一生。

Xiaoling

The Xiaoling was the tomb of Emperor Zhu Yuanzhang, the founder of the Ming Dynasty.

Zhu Yuanzhang (1328-1398) lived a poor life in his childhood. He once grazed cattle, and became a Buddha monk, and then he joined in the peasant uprising against the Yuan Court. In 1368, he founded the Ming Dynasty in Nanjing with the reign title of Hongwu, and his posthumous title was Taizu. When Zhu Yuanzhang became the emperor, he carried on benevolence policies, but sterned to the corrupt officials. During the reign of Emperor Zhu Yuanzhang, the economy restored and improved much.

The Xiaoling is located at the southern of Zijin Mountain in the eastern suburb of Nanjing, and it is the biggest mausoleums in scale of all Emperors' of the Ming Dynasty, but most buildings were ruined in wars.

Le tombeau Xiaoling

Le Xiaoling est le tombeau de Zhu Yuanzhang, fondateur de la dynastie des Ming.

Né dans une famille pauvre, Zhu Yuanzhang (1328-1398) avait d'abord été vacher puis moine. En 1368, à Yingtian (actuel Nanjing), il se proclama empereur Taizu de la dynastie des Ming, commençant ainsi le règne Hongwu dans l'histoire chinoise. Après la fondation de cet empire, Zhu Yuanzhang appliqua une politique favorable au peuple, réprima les riches, punit les fonctionnaires cupides et corrompus de façon à relever l'économie et à faire progresser la société. Situé au pied sud du mont Zijinshan aux environs est de Nanjing, le Xiaoling est le plus grand des mausolées impériaux des Ming eu égard à son envergure, mais la plupart de ses édifices extérieurs furent détruits dans le feu de la guerre.

Das Xiaoling-Grab bei Nanjing

Es ist das Grab des ersten Kaisers der Ming-Dynastie Zhu Yuanzhang.

Zhu Yuanzhang (1328 — 1398) kam aus einer armen Familie, war junger Kuhhirt und junger buddhistischer Mönch.

1368 gründete er die Ming-Dynastie. Die Bezeichnung für die Regierungszeit hieß Hongwu und sein posthum verliehener Name Taizhu. Seine politische Richtlinie zielte darauf ab, Land und Bevölkerung sich von Kriegen erholen zu lassen, den Unterschied zwischen den Reichen und Armen zu verringern und die korrupten und bestechlichen Beamten zu bestrafen, was zur Entwicklung der Wirtschaft führte.

Das Xiaoling-Grab liegt am südlichen Bergfuß des Zijinshan-Berges in der östlichen Vorstadt Nanjings und war das größte unter den Ming-Gräbern, aber der Großteil der Grabbauten wurde im Krieg zerstört.

Xiaoling

Xiaoling è il mausoleo del primo imperatore della dinastia Ming, Zhu Yuanzhang.

Di origini assai povere, durante la sua infanzia, Zhu Yuanzhang (1328-1398) pascolò i buoi e divenne monaco. Nel 1368 salì al trono a Yingtian (Nanjing odierna) col nome di Taizhu. Il suo regno prese il nome di Hongwu. Zhu Yuanzhang adottò politiche atte a restaurare la pace e a controllare i ricchi e potenti, punendo i funzionari corrotti.

Il Xiaoling, situato ai piedi meridionali della collina purpurea a est di Nanjing, è la più grande tra le tombe imperiali dei Ming e dispiace molto che la maggior parte venne danneggiata durante la guerra.

孝陵

明の開国皇帝、朱元璋の廟墓。

朱元璋（1328 − 1398年）は幼いときに家が貧しかったため、牛飼いをしたことも、出家したこともある。1368年、応天（今日の南京）にて帝として称え、大明を国号とし、年号は洪武で、廟号は太祖。建国後、休養生息、富豪抑制、腐敗官吏の懲罰などの措置を取ったため、社会経済には回復と発展を見せた。

孝陵は南京市市東郊外の紫金山麓にあり、明代の帝王の陵墓の中でも最も大きい1つで、残念ながらほとんどの建物が戦火によって壊されてしまった。

Tumba Xiaoling

Pertenece a Zhu Yuanzhang (1328—1398), fundador de la dinastía Ming.

Cuando era un niño, sus padres eran muy pobres. De joven trabajó una vez como vaquero y más tarde se hizo monje. En 1368, en Yingtian (actual Nanjing) se declaró emperador. El nombre de su dinastía es Daming; el título de su reinado, Hong Wu; su nombre póstumo, Taizu. Fundada la dinastía, llevó a la práctica la política de pacificación para con el pueblo, puso bajo su control el desarrollo de las personas ricas y poderosas, y castigó a los funcionarios codiciosos. Como resultado, la economía no sólo fue restaurada, sino que también cobró un gran desarrollo.

Situada al pie meridional de la montaña Zijin, la Tumba Xiaoling es la de mayor extensión entre todas las de la dinastía Ming. Lamentablemente, la mayor parte de las edificaciones fueron reducidas a escombros a causa de la guerra.

효릉

효릉은 명대 개국 황제 주원장의 능묘이다.

주원장(1328-1398년)은 어린시절에 집이 가난하여 소도 방목하였고 중노릇도 하였다. 1368년 응천(남경)에서 황위에 오르고 국호를 대명, 연호를 홍무, 시호를 태조라 하였고 건국 후 그는 백성들을 위한 정책을 실시하고 부호들을 견제하며 탐관들을 처벌함으로써 사회 경제의 회복과 발전을 가져왔다.

효릉은 남경시 동쪽 교외의 자금산 남쪽기슭에 위치해 있다. 명대 제왕릉중에서 규모가 제일 큰 왕릉의 하나였으나 대부분 건물이 전란에서 불타버렸다.

明显陵

明显陵位于湖北省钟祥市，是明世宗嘉靖皇帝父母的合葬墓，建于嘉靖十九年（1540年）。陵寝占地52公顷，周围建内外罗城，由红门抵达寝殿的神路长达1300米。陵园内30余处殿宇楼台布局巧妙，气势恢宏，浮雕精美。2000年，被联合国教科文组织列为世界文化遗产。

Xianling

The Xianling, locating in Zhongxiang City, Hubei Province, was the tomb of Emperor Jiajing's parents. It was built in 1540 (the nineteenth year of Jiajing's reign period), and covered an area of 52 hectares, enclosing by walls. The sacred way from the Great Palace Gate to the Halls is 1300 meters long. There were more than 30 halls, terraces, pavilions totally in the Xianling, they all looked brilliantlly splendid, and the composition is ingenious and tastdfully designed. In 2000, UNESCO included the Xianling in the list of World Culture Heritages.

Le tombeau Xianling des Ming

Situé à Zhongxiang dans la province du Hubei, le Xianling est le tombeau des parents de l'empereur Shizong, construit la 19e année du règne Jiajing (1540). Le mausolée qui occupe 52 ha est entouré d'un mur d'enceinte protégé par les remparts extérieurs. La Voie sacrée qui mène de la porte rouge à la salle extérieure est d'une longueur de 1 300 m. Bien disposés sur le terrain, une trentaine de salles et de pavillons ornés de fines sculptures en bas-relief sont aussi magnifiques qu'imposants. En 2000, il a été inscrit sur la Liste du Patrimoine mondial par l'UNESCO.

Das Xianling-Grab in der Provinz Hubei

Das Xianling-Grab in der Stadt Zhongxiang, Provinz Hubei, ist das Grab der Eltern des Kaisers Jiajing und wurde1540 gebaut. Die Grabstätte hat eine Fläche von 52 Hektar und ist von einer inneren und einer äußeren Mauer umgeben. Vom Haupttor der Grabstätte zum Grabhügel führt der Heilige Weg mit einer Länge von 1300 m. Über 30 Bauten wie Pavillons, Hallen und Tore mit wunderschönen Reliefs wurden dort in gerader Linie angeordnet. Im Jahre 2000 wurde das Grab von der UNESCO in die Liste des Weltkulturerbes aufgenommen.

Xianling dei Ming

Xianling dei Ming, nella città di Zhongxiang, provincia del Hubei, è il mausoleo dei genitori dell'imperatore Jiajing dei Ming. Il mausoleo, che risale al 1540, occupa una superficie di 52 ettari. La via sacra, che dalla Porta Rossa conduce al mausoleo, è lunga 1.300 m. Nel cortile del mausoleo si trovano oltre 30 palazzi e padiglioni con rilievi preziosi. Nel 2000, il mausoleo Xianling dei Ming è stato inserito nell'elenco dei patrimoni culturali mondiali dell'UNESCO.

Tumba Mingxianling

Situada en la ciudad de Zhongxiang, provincia de Hubei, la tumba Mingxianling pertenece a los padres del emperador Shi Zong. Construida en 1540, ocupa un área de 52 hectáreas. En sus alrededores se levanta un muro interior y uno exterior. La Vía de la Santidad, que sale de Hongmen (Puerta Roja) y termina en el sepulcro, mide 1.300 m. de longitud. En el recinto de la tumba se alzan más de 30 magníficos palacios y pabellones, que se distinguen por su disposición ingeniosa y sus relieves exquisitos. En el año 2000, la Tumba Xianling fue declarada por la UNESCO como "patrimonio cultural de la humanidad".

명대 현릉

호북성 종상시에 위치한 명대 효릉은 명세종 가정제 부모의 합장묘로서 가정 19년(1540년)에 건조되었다. 능침 면적은 52헥타르, 주위에 내외 나성이 있으며 홍문에서 침전에 이르는 신도의 길이는 무려 1300m에 달한다. 능원내 30여군데의 전 각과 누대는 교묘하게 배치되고 기세가 웅장하며 양각 또한 정교하다. 2000년 유네스코에 의해 세계문화유산 명부에 수록되었다.

明顕陵

湖北省鐘祥市にある明顕陵は、明の世宗・嘉靖帝父母の共同墓地であり、嘉靖19年（1540）に築造されたものである。敷地は52㎢に上り、周囲には2重の羅城（城壁）が築かれてある。紅門から寝殿までの神路は長さ1300㍍に及んでいる。墓苑内にある30あまりの建物は、配置が合理的で、レリーフも美しい。2000年に国連のユネスコから世界文化遺産に指定されている．

朱祁钰（1428年--1457年），宣宗子，英宗弟，年号景泰，庙号代宗。

代宗是明朝第七代皇帝。称帝前被封为郕王。因土木堡之战英宗被俘，郕王在大臣们的劝说下，即皇帝位，尊英宗为太上皇。

代宗即位，安定了朝野，并命于谦组织北京保卫战，击退瓦剌军。1450年也先求和，送回英宗朱祁镇。1457年，代宗病重，英宗复辟。代宗被废为郕王，不久被气死。明宪宗即位后，把葬于北京西郊金山的郕王墓改为景泰陵。

Jingtailing

The Jingtailing was the tomb of Emperor Zhu Qiyu.

Zhu Qiyu (1428-1457) was the seventh emperor of the Ming Dynasty. His reign title was Jingtai, and the posthumous title was Daizong. Emperor Zhu Qiyu was entitled as Prince of Cheng originally. When the Emperor Zhu Qizhen, his brother, was captured in Tumubao in a war against the Mogals Army in 1449, the Prince of Cheng took over the throne by persuasion of the court. One year later, Zhu Qizhen was released. After seven years living in seclusion, Zhu Qizhen staged a comeback, and took back the throne from the Emperor Zhu Qiyu. When Zhu Qiyu died of anger, Emperor Zhu Qizhen refused to honor him an imperial burial. So the Emperor Zhu Qiyu was only buried as a prince at the foot of the Jin Mountain in the western suburb of Beijing.

Das Jingtai-Grab des Kaisers Daizong Zhu Qiyu

Zhu Qiyu (1428 — 1457), die Bezeichnung für seine Regierungszeit ist Jingtai und sein posthum verliehener Name Daizong, war der 7. Kaiser der Ming-Dynastie. Im Krieg wurde der zuvor regierende Kaiser Yingzong Zhu Qizhen von dem Waci-Stamm der Mongolen gefangengenommen. Auf Drängen der wichtigen Minister kam Fürst Zhu Qiyu auf den Thron und belehnte den ehemaligen Kaiser Yingzong zum obersten Gebieter. 1450 wurde der Kaiser Yingzong von den Mongolen freigelassen, und er kehrte nach Beijing zurück. 1457, als Kaiser Daizong erkrankte war, bestieg Kaiser Yingzong wieder den Thron und entmachte Kaiser Daizong, der kurz darauf starb. Der nachfolgende Kaiser Xianzong ließ das Fürstengrab von Zhu Qiyu zu einem kaiserlichen Jingtai-Grab am Bergfuß des Jinshan-Berges in der westlichen Vorstadt Beijings ausbauen.

경태릉

주기옥(1428-1457 년)은 연호 경태, 시호 대종으로 명대의 제7대 황제였다. 등극하기 전에는 성왕으로 봉해졌던 그는 토목보전투에서 영종 주기진이 몽고 와자족에게 포로되자 대신들의 권고하에 제위에 오르고 영종을 태상황으로 모시었다. 대종은 즉위한 후 조야를 안정시키고 몽고군을 격퇴시켰다. 1450년 몽고는 강화를 청해오고 영종을 돌려보냈다. 1457년 대종이 병으로 눕자 영종이 복벽하여 대종을 다시 성왕으로 폐위시켰으므로 얼마 안되어 화병으로 별세했다. 명헌종은 즉위한 후 북경 서교의 금산에 자리한 성왕묘를 경태릉으로 개칭했다.

景泰陵

代宗朱祁钰帝の廟墓。

朱祁钰(1438－1457年)、年号は景泰、廟号は代宗、明代の7代目の皇帝である。帝として称える前は、郕王として封じられた。土木堡之戦で英宗の朱祁鎮が蒙古のワチゾクのとりこになったため、郕王は大臣たちに勧められて皇帝として君臨し、英宗を太上皇として崇めた。代宗は即位後、朝野を安定させ、蒙古軍を撃退した。1450年、蒙古軍が和を求めて英宗を送還してくれた。1457年、英宗は代宗が重い病気にかかたことを機に復位し、代宗を廃した。再び郕王に封じられた代宗は怒ってまもなく死んでしまい、北京西部郊外の金山に葬られた。明の憲宗が即位した後、郕王の墓ははじめて景泰陵に改めたられた。

Jingtailing

Zhu Qiyu (1428-1457), il cui regno prese il nome di Jingtai, regnò con il nome di Daizong e fu il settimo imperatore della dinastia Ming. Prima di salire al trono imperiale fu re del regno di Cheng. Dopo la cattura dell'imperatore Yingzong, da parte dei mongoli a Tumubao, il re di Cheng salì sotto al trono e nominò Yingzong sovrano superiore. Daizong, sistemò la situazione nella corte imperiale e attaccò con successo le truppe mongole. Nel 1450, i mongoli si arresero e Yingzong ritornò a Beijing. Approfittando di una grave malattia di Daizong, Yingzong lo detronizzò e si insediò di nuovo sul trono. Poco tempo dopo, Daizong morì per la rabbia. Tornato sul trono, l'imperatore Xianzong prese la tomba di Daizong. Chiamata Jingtai, è situata a Jinshan, a est di Beijing.

Tumba Jingtailing

Pertenece a Zhu Qiyu (1428—1457). El nombre de su reinado es Jingtai y su nombre póstumo, Dai Zong. Fue el séptimo emperador de la dinastía Ming. Antes de asumir el trono, tenía el título de príncipe Cheng. En la batalla de Tumubao, el emperador Ying Zong (Zhu Qizheng) fue capturado por una tribu mongola. Convencido por los ministros, el príncipe Cheng subió al trono y Ying Zong fue "glorificado" como soberano perpetuo. La coronación de Dai Zong no sólo tranquilizó a la Corte y a la plebe, sino que también contribuyó al rechazo de las tropas invasoras mongolas. En 1450, Mongolia pidió la paz, devolviendo a Ying Zong a la Corte Ming. En 1457, Dai Zong cayó gravemente enfermo, ocasión que Ying Zong aprovechó para restablecer su monarquía, por lo que Dai Zong fue degradado de nuevo a príncipe. Como consecuencia de ello murió enojado. Al subir al trono Xian Zong, transformó el sepulcro del príncipe Cheng al pie de la colina Jinshan, en las afueras occidentales de Beijing, en la tumba bajo el nombre de Jingtai.

Le tombeau Jingtailing

Zhu Qiyu (1428-1457), empereur Daizong, était le septième souverain des Ming, connu aussi sous le règne Jingtai. Au début, il avait reçu le titre du prince Cheng. Comme Zhu Qizhen, empereur Yingzong, avait été captivé par Yexian, chef de la branche Wala des Mongols dans la bataille de Tumubu, le prince Cheng succéda sur proposition des ministres à la couronne et considéra l'empereur Yingzong comme un "père". Après son avènement au trône, l'empereur Daizong rétablit l'ordre social et défit l'armée mongole. En 1450, les Mongols demandèrent la paix en renvoyant l'empereur Yingzong dans la capitale. En 1457, l'empereur Daizong était gravement malade et Zhu Qizhen saisit cette occasion pour récupérer sa souveraineté. L'empereur Daizong fut obligé de reprendre son ancien titre "prince Cheng" et peu après, il mourut de colère.

Après son accession au trône, l'empereur Xianzong des Ming transforma en Jingtailing le tombeau du prince Cheng au pied du mont Jinshan aux environs ouest de Beijing.

明朝皇帝一览表

皇帝姓名帝号	皇帝年号	在位时间	陵墓名称	陵墓所在地	陪葬皇后
明太祖 朱元璋	洪武	1368-1398	孝陵	江苏省南京市钟山	马氏
明惠帝 朱允炆	建文	1399-1402			
明成祖 朱棣	永乐	1403-1424	长陵	北京昌平天寿山	徐氏
明仁宗 朱高炽	洪熙	1425	献陵	北京昌平天寿山	张氏
明宣宗 朱瞻基	宣德	1426-1435	景陵	北京昌平天寿山	孙氏
明英宗 朱祁镇	正统 天顺	1436-1449 1457-1464	裕陵	北京昌平天寿山	钱氏、周氏
明代宗 朱祁钰	景泰	1450-1456	景泰陵	北京西郊金山	汪氏
明宪宗 朱见深	成化	1465-1487	茂陵	北京昌平天寿山	纪氏、王氏、邵氏
明孝宗 朱祐樘	弘治	1488-1505	泰陵	北京昌平天寿山	张氏
明武宗 朱厚照	正德	1506-1521	康陵	北京昌平天寿山	夏氏
明世宗 朱厚熜	嘉靖	1522-1566	永陵	北京昌平天寿山	杜氏、陈氏、方氏
明穆宗 朱载垕	隆庆	1567-1572	昭陵	北京昌平天寿山	李氏、陈氏、李氏
明神宗 朱翊钧	万历	1573-1620	定陵	北京昌平天寿山	王氏、王氏
明光宗 朱常洛	泰昌	1620	庆陵	北京昌平天寿山	郭氏、王氏、刘氏
明熹宗 朱由校	天启	1621-1627	德陵	北京昌平天寿山	张氏
明思宗 朱由检	崇祯	1628-1644	思陵	北京昌平天寿山	周氏、田氏